METAFÍSICA DA SAÚDE

VOL.4
SISTEMA NERVOSO
(incluindo Coluna Vertebral)

© 2008 Gasparetto e Valcapelli

Direção de arte: Luiz Antonio Gasparetto
Projeto gráfico e capa: Kátia Cabello
Ilustrações: Kátia Cabello, Márcio Lipari e Priscila Noberto
Revisão: Fernanda Rizzo Sanchez

1ª edição — 8ª impressão
5.000 exemplares — agosto 2022
Tiragem total: 39.000 exemplares

Dados Internacionais de Catalogação na Publicação (CIP)
(Câmara Brasileira do Livro, SP, Brasil)

Valcapelli
Metafísica da saúde : sistema nervoso : (incluindo coluna vertebral) / Valcapelli & Gasparetto. -- São Paulo : Centro de Estudos Vida & Consciência Editora, 2008. -- (Coleção metafísica da saúde ; v. 4)

ISBN 978-85-7722-019-9

1. Corpo e mente 2. Manifestações psicológicas de doenças 3. Metafísica 4. Ocultismo 5. Parapsicologia 6. Sistema nervoso - Doenças - Aspectos psicossomáticos I. Gasparetto, Luiz Antonio. II. Título. III. Série.

08-03640   CDD-616.08
                                                                             NLM-WM 9

Índices para catálogo sistemático:
1. Medicina psicossomática 616.08

Todos os direitos reservados. Nenhuma parte desta edição pode ser utilizada ou reproduzida, por qualquer forma ou meio, seja ele mecânico ou eletrônico, fotocópia, gravação etc., tampouco apropriada ou estocada em sistema de banco de dados, sem a expressa autorização da editora (Lei nº 5.988, de 14/12/1973).

Este livro adota as regras do novo acordo ortográfico (2009).

Editora Vida & Consciência
Rua das Oiticicas, 75 – Parque Jabaquara – São Paulo – SP – Brasil
CEP 04346-090
editora@vidaeconsciencia.com.br
www.vidaeconsciencia.com.br

VALCAPELLI & GASPARETTO

Metafísica da Saúde

VOL.4

SISTEMA NERVOSO

(incluindo Coluna Vertebral)

SUMÁRIO

Apresentação 9
Os Princípios da Metafísica 11
Os Caminhos da Metafísica da Saúde 14

Sistema Nervoso 27

Sistema Nervoso Central 36
Sinapse 47
Neurotransmissores 51
Acetilcolina 52
Miastenia 58
Dopamina 59
Noradrenalina e Adrenalina 63
Serotonina 64
Histamina 66
Meninges 71
Meningite 75
Cérebro 81
Parkinson 92
Alzheimer e/ou Demência 100
Dor de Cabeça ou Enxaqueca 107
AVC (Acidente Vascular Cerebral) 116
Epilepsia ou Convulsão 126
Tiques ou Cacoetes 133
Estresse 143
Burnout 155
Bulbo 164
Sono 168
Insônia 170
Cerebelo 176
Transtorno Bipolar do Humor 181
Transtorno Obsessivo-Compulsivo (TOC) 190
Coluna Vertebral 202
Postura Corporal 207
Região Cervical e Pescoço (Cervicalgia) 210
Dor no Pescoço (Cervicalgia) 212

Torácica	215
Cifose	217
Escoliose	219
Lombar	224
Lordose	227
Hérnia de Disco ou Bico de papagaio	231
Sacro	235
Cóccix	239
Sistema Nervoso Periférico	243
Nervos	243
Gânglios	246
Terminações Nervosas	249
Trigêmeo	253
Nevralgia do Trigêmeo	256
Nervo Ciático	262
Dor Ciática	264
Considerações Finais	267
Referências Bibliográficas	269

APRESENTAÇÃO

O sistema nervoso sempre foi uma incógnita para a ciência. Somente nos últimos anos, com o desenvolvimento tecnológico, a neurociência avançou na descoberta de funções neurológicas, antes desconhecidas.

Recentemente foi descoberta a existência de células nervosas que se regeneram, quebrando um importante conceito da neurologia, de que células nervosas não se regeneram.

Esta obra exigiu um extenso estudo sobre as mais recentes descobertas da neurociência. Os conhecimentos científicos são imprescindíveis para se compreender a relação metafísica entre as qualidades inerentes ao ser e o funcionamento do Sistema Nervoso.

Além dos aspectos fisiológicos, existe a instância psíquica que, por sua vez, é ainda mais complexa pela subjetividade e especificidade com que é constituída a psique humana. Fez-se necessário arrebanhar os conhecimentos das três vertentes da psicologia: psicanalítica, comportamental e humanista.

Apesar de as concepções metafísicas serem calcadas fundamentalmente no ser, consideram-se os níveis psicobiofísicos, nos quais se instala a saúde ou manifestam-se as doenças. Afinal, são nas esferas físicas e psicológicas que os sinais se manifestam para serem estudados, inclusive, pela metafísica da saúde.

A abordagem metafísica não desconsidera nenhum desses fatores, ao contrário, agrega conhecimentos para obter ampla visão dos processos de manifestações do ser na vida.

Desse modo, apresentamos a você, leitor, mais esse importante estudo, que compõe a obra *Metafísica da Saúde*, agora composta por quatro volumes. Nossas pesquisas não param aqui, já estamos trabalhando no quinto volume, para que você tenha uma visão ainda mais ampla das suas qualidades e reconheça os conflitos e as dificuldades relacionadas com as principais doenças que afetam o seu corpo.

Valcapelli e Gasparetto

OS PRINCÍPIOS DA METAFÍSICA

A Metafísica compreende os aspectos estruturais e energéticos que coordenam as matérias orgânicas e inorgânicas. É um estudo especial sobre a essência do Universo, sua formação e dos seres que nele habitam. Ela proporciona uma ótica ampla acerca dos fatores tempo e espaço; da concepção de certo e errado e das categorias imutáveis e eternas, que constituem as causas primitivas dos processos existenciais.

O significado literal da palavra é: *meta* = além e *física* = matéria, portanto, Metafísica refere-se àquilo que está além do físico. Compreende as esferas psíquicas, emocionais, energéticas, espirituais e sentimentais. Essa terminologia foi criada por Aristóteles, muito embora o filósofo tenha deixado esse assunto à margem de suas investigações. Esse estudo passou a ser organizado com o surgimento da Ontologia: uma parte da Metafísica que estuda o Ser enquanto Ser. A Metafísica parte do princípio de que é a alma quem organiza a matéria e não o físico que cria a essência.

Empregar esse termo para referir-se meramente àquilo que transcende o físico, não faz jus ao profundo significado da palavra. Desde sua criação ela refere-se ao que é essencial organizador dos processos estudados. Pode-se atribuir a terminologia a diferentes áreas de estudos, desde que se investiguem os aspectos causais e não simplesmente aquilo que estiver além do fato em si. Usá-lo inadvertidamente, permanecendo na periferia dos processos, sem se aprofundar nas pesquisas, banaliza um termo que traz em si a responsabilidade, por parte de quem o emprega no seu trabalho, de alcançar os fundamentos centrais que definem os objetos da investigação.

A concepção metafísica pode ser empregada em diferentes áreas de estudos. Nós a utilizamos na saúde. Intitulamos nosso trabalho de *Metafísica da Saúde* no intuito de investigar o corpo como veículo da vida, no qual se manifestam os potenciais e os sentimentos do ser.

Nessa abordagem, os fundamentos metafísicos não estão distantes da sua realidade; ao contrário, é justamente no ambiente que se manifestam as causas metafísicas dos distúrbios do corpo. A raiz dos problemas físicos está na atitude interior, frente às situações do cotidiano. A postura da pessoa é determinante para a preservação da saúde, e os conflitos interiores desencadeiam as doenças que afetam o organismo.

O órgão afetado e o tipo de alteração que ele apresenta revelam como as pessoas se encontram numa determinada área da vida e, metafisicamente, correlacionam-se com aquela parte do corpo. Observando e interpretando os comportamentos das pessoas, pode-se ter uma noção da sua vulnerabilidade à determinada doença ou o fortalecimento de um determinado órgão.

O corpo é uma espécie de sensor que acusa o modo como o indivíduo lida com os acontecimentos. Cada parte do organismo reflete uma emoção. Portanto, as alterações metabólicas têm origem no desequilíbrio emocional. Todos enfrentam obstáculos, porém cada um reage de um determinado jeito. Dependendo do modo como se enfrentam as adversidades, produz-se um determinado estado emocional. Dependendo dessa condição interior, mantém-se a saúde ou são provocadas as doenças.

Os próprios eventos exteriores, por si sós, refletem aquilo que é cultivado interiormente. As atitudes mantidas ao longo da vida atraem as situações compatíveis ao modelo interior, consequentemente essas ocorrências provocam os abalos, intensificando os sentimentos nocivos e ocasionando prejuízos à saúde.

O trabalho de observação do ambiente de trabalho e do estilo de vida que a pessoa mantém no lar, serve de visor do mundo interno. Ao mesmo tempo em que são identificados os tipos de reações frente a certos acontecimentos, torna-se possível conhecer as crenças geradoras dos conflitos existenciais.

A aquisição da consciência metafísica das causas das disfunções do organismo proporciona um importante recurso para a reorganização do mundo interno, que se reflete não somente no corpo, para resgatar a saúde, mas também opera transformações no ambiente exterior. Pode-se dizer que os mesmos conflitos emocionais que causaram a doença, também geraram os acontecimentos, que agravaram os sentimentos nocivos.

As pessoas vivem nesse ciclo vicioso e não se dão conta de que elas próprias conspiram a favor dos seus insucessos, e, por sua vez, frustram-se. Para conquistar a saúde e melhorar a qualidade de vida, faz-se necessário promover significativas mudanças, começando dentro, para depois proceder no meio.

O primeiro passo é reformular as crenças. Em seguida, mudar a visão de mundo, interpretando os fenômenos exteriores de maneira mais complacente e menos conflituosa. Por fim, adotar novas atitudes, relacionar-se melhor consigo mesmo e com os outros, respeitar seus limites e cuidar do corpo. Assim sendo, a metafísica da saúde representa um importante recurso de autoajuda.

OS CAMINHOS DA METAFÍSICA DA SAÚDE

Nosso trabalho de pesquisas metafísicas da saúde consiste:
1) No estudo da fisiologia e anatomia.
2) Na identificação dos aspectos psicoemocionais.
3) Na observação de pessoas doentes para a constatação dos padrões metafísicos das doenças.

A primeira medida é conhecer o funcionamento do órgão estudado e as características dos principais distúrbios que o afetam.

As características funcionais do órgão, ou seja, as funções que ele desempenha no organismo, são pontos de partida para que possamos desvendar as relações metafísicas com os potenciais inerentes ao ser.

Pode-se dizer que a anatomia e a fisiologia representam, para nós, estudiosos da metafísica da saúde, espécies de fontes de inspiração para que possamos alcançar as qualidades latentes do ser. Essas, por sua vez, regem o funcionamento dos órgãos. Exemplo: a maneira como o estômago processa os alimentos equivale ao jeito que a pessoa lida com os acontecimentos de sua vida[1].

As condições fisiológicas das principais doenças que afetam os órgãos são incontestáveis. O estudo metafísico das doenças considera a existência dos ingredientes patológicos num órgão adoecido. Afinal, ele só adoece quando algum agente nocivo o

---

1. Para saber mais, consulte: *Metafísica da Saúde*, volume 1, p. 127.

afeta. Por esse motivo, a busca da ciência pelas causas orgânicas é um procedimento eficiente no combate às doenças.

Um sentimento nocivo, por si só, não possui ingredientes somáticos suficientes para se manifestar; é preciso um agente físico para estabelecer a doença no corpo.

Os agentes físicos causadores das doenças precisam ser combatidos. Esse papel vem sendo desempenhado pela medicina. No entanto, as doenças parecem se multiplicar, tanto aumentam os números de casos, quanto surgem novas síndromes. Nas últimas décadas esse combate aos males físicos, atuando exclusivamente no corpo, tem alimentado as indústrias farmacêuticas e a medicina diagnóstica. Essas empresas se tornaram gigantescos pólos econômicos.

O uso de medicamentos tornou-se praticamente rotina na vida das pessoas. Muitos preferem tomar um remédio a refletirem sobre o que interiormente não está bem. Isso favorece a proliferação de substâncias que se propõem a sanar os males físicos. Inclusive o uso abusivo de substâncias, sem se darem conta dos efeitos colaterais desses medicamentos.

Nossa visão metafísica não se contrapõe à ciência médica, tampouco desestimula o uso de medicamentos. Ao contrário, incentivamos as pessoas a procurarem um médico, quando surgem alguns sintomas físicos e, ainda, que elas sigam as recomendações desse profissional de saúde.

Além desse procedimento clássico e responsável, propomos ao doente uma reflexão sobre a sua condição interna relacionada àquele mal que afetou seu organismo, no sentido de colaborar com a promoção da saúde. Esse procedimento permite medidas terapêuticas que transcendem a esfera física, alcançando o universo interior e objetivando a promoção do bem-estar físico e emocional.

Apesar de os agentes físicos causadores das doenças estarem presentes, elas ocorrem num ambiente emocionalmente propício àquela manifestação. Melhor dizendo, num momento de turbulências existenciais, que provocam certos conflitos. Os sentimentos se desestabilizam, desorganizando os sistemas do corpo; isso causa a vulnerabilidade para a manifestação da doença.

Exemplo: a gripe é causada fisicamente por vírus, no entanto ela se dá também pela baixa imunológica. Tanto o contágio do vírus, quanto a sua proliferação, acontece quando a pessoa se desorganiza interiormente, diante de situações conflituosas de sua existência[2]. O mesmo ocorre com outras infecções. No entanto, cada uma possui especificidade de sentimentos, que são metafisicamente estudados.

* * *

O segundo passo é explorar o universo psicoemocional para compreender o funcionamento psíquico, a manifestação dos pensamentos e o estado emocional da pessoa. Partimos do corpo para desvendar o ser que o habita. Procuramos identificar os potenciais latentes do ser, bem como os conflitos gerados pela repressão dos potenciais.

Obviamente, a própria doença abala emocionalmente a pessoa, por causa dos sintomas de dor ou desconforto físico que ela sofre. Mudar a rotina, ficar à mercê dos outros e dependente da ação dos medicamentos, provoca significativo abalo interior. Existem até reações emocionais decorrentes de certas variações orgânicas. Agitação, irritabilidade ou depressão são sintomas emocionais que fazem parte da descrição de algumas

---

2. Para saber mais, consulte: *Metafísica da Saúde*, volume 1.

doenças, principalmente no que diz respeito aos distúrbios hormonais. A variação de humor é forte indício de alterações nas taxas de hormônios.

No entanto, a visão metafísica concebe o fato de que as variações de humor, bem como os conflitos emocionais precedem as doenças, e não são decorrentes delas. Uma pessoa adoece quando seu estado interior não está suficientemente bom para proporcionar ao organismo condições de reagir às interferências do agente nocivo, que atinge o seu corpo.

A sincronicidade entre o conflito psicoemocional com o desenvolvimento das doenças estende-se além do próprio corpo, no qual ocorre a evolução das doenças. A turbulência interior conspira a favor do contágio com os agentes causadores das doenças, como os vírus ou as bactérias. Eles são praticamente atraídos pela pessoa que possui padrões emocionais compatíveis. A vibração causada pelos conflitos equivale à mesma frequência desses agentes, atraindo-os para o corpo por meio do contato com substâncias infectadas ou a permanência num recinto repleto de agentes virais.

Quando esses agentes atingem o organismo, este se encontra frágil e com a imunidade baixa, por causa dos sentimentos turbulentos cultivados pela pessoa. Os conflitos emocionais bombardeiam o corpo, enfraquecendo principalmente os sistemas de defesas, possibilitando a instauração da doença.

Portanto, as condições do corpo, tais como saúde ou doença, são reflexos do universo interior. Baseados nisso, adotamos o organismo como ponto de partida para a investigação da metafísica da saúde.

Consideramos que tanto a saúde quanto as doenças são produzidas pelos padrões de comportamentos. O estudo da metafísica da saúde parte da exploração dos aspectos físicos e existenciais, para fazer uma espécie de mergulho no universo interior, investigando os mais caros sentimentos gerados diante das ocorrências exteriores. Melhor dizendo, como a pessoa responde àquilo que acontece ao seu redor. O jeito como ela interpreta o que lhe acontece, bem como os sentimentos que ela cultiva interiormente, são fatores determinantes para manter a sua saúde, como também podem provocar doenças no corpo. Resumindo, a maneira como a pessoa se constrói diante dos acontecimentos exteriores define o seu estado emocional e, consequentemente, físico.

Os potenciais inerentes ao ser representam metafisicamente fontes de saúde do corpo. Cada órgão é regido por uma determinada qualidade. À medida que as pessoas movimentam suas qualidades, além de se aprimorarem, graças ao uso de suas habilidades, geram forças positivas que fortalecem o seu próprio organismo. Assim sendo, o manejo adequado das virtudes promove simultaneamente vigor físico e realização pessoal.

O principal foco dos estudos metafísicos é a investigação desse universo interior, em busca do que a pessoa acredita e sente. As crenças geram os sentimentos, que figuram na esfera emocional. As emoções desencadeiam os pensamentos, que, por sua vez, promovem as atitudes, transformando-se em ações no mundo.

Resumidamente, pode-se dizer que uma pessoa saudável é aquela que age com naturalidade, apresentando boa desenvoltura para lidar com os acontecimentos. E alguém doente é aquele que se queixa, indigna-se com facilidade e/ou lida com os acontecimentos de maneira conflituosa; principalmente com os problemas relacionados ao tipo de doença que o corpo apresenta.

Essa relação metafísica específica a cada órgão e principais doenças que o afeta, fazem parte das temáticas contidas em todos os volumes da série *Metafísica da Saúde*.

Ao consultar a obra em busca de respostas metafísicas para algum mal que o aflige ou afeta um amigo ou um ente querido, aconselhamos a leitura, não somente das doenças isoladamente, mas também do órgão afetado. Assim, você compreenderá as qualidades do ser que foram bloqueadas. Consciente das potencialidades inerentes aos órgãos afetados, você contará com um importante recurso de autoajuda para reverter o padrão nocivo da doença. O resgate da saúde engloba a estabilização das qualidades apresentadas nos órgãos, bem como minimiza os conflitos emocionais causadores das doenças.

Ao ler esta obra, você vai deparar com relatos de atitudes e comportamentos, condizentes aos seus ou aos de alguém que você conhece. Mesmo não havendo a manifestação da doença, a condição apresentada equivale aos conflitos emocionais. Isso é comum acontecer, visto que o processo somático é a última instância de manifestação do padrão nocivo. Antes de afetar o corpo, ele causa transtorno no meio, interfere nas relações interpessoais, provocando alguns danos existenciais.

Existem pessoas fisicamente saudáveis, porém difíceis de conviverem e que se comportam de maneira complicada. Elas apresentam posturas extremamente nocivas. Enquanto estiverem exteriorizando seus conflitos, provocam danos no meio, mas poupam o seu organismo desse bombardeio psíquico, evitando o adoecimento do corpo. As relações ficam doentias, enquanto o organismo permanece saudável.

A série *Metafísica da Saúde* objetiva, não somente oferecer recursos para que o doente restabeleça a saúde e recupere o bem-estar, mas representa uma importante "ferramenta" para o autoconhecimento. Visa a promoção da qualidade de vida; o favorecimento da boa relação com as pessoas que cercam você; bem como, a aceitação dos processos existenciais e a boa interação com o ambiente.

* * *

O terceiro passo da nossa pesquisa metafísica consiste em averiguar as analogias feitas durante as investigações do universo psicoemocional. Vamos a "campo" observar as atitudes das pessoas saudáveis e as condições internas dos doentes.

Fazemos um levantamento dos acontecimentos que surgiram na ocasião em que ocorreram os sintomas físicos, principalmente no que diz respeito à maneira como a pessoa se sentiu diante das ocorrências que precederam a manifestação da enfermidade.

Observamos alguns casos de pacientes que nos dão a segurança necessária para divulgar aquele tema, fazendo as interpretações metafísicas dos mais profundos sentimentos das pessoas afetadas com o mal.

Costumamos dizer que o doente é o maior testemunho da veracidade do nosso trabalho. Visto que a descrição dos conflitos apresentados na causa metafísica daquela doença, condiz com o que ele vem sentindo ultimamente.

Em razão da revelação dos mais íntimos sentimentos e a descrição das profundas dificuldades existenciais que as pessoas apresentam, alguns enfermos resistem em admitir as dificuldades narradas neste livro como causa metafísica das doenças. Nesses casos eles podem identificá-las com alguém do seu convívio, pois geralmente os entes queridos conhecem o perfil emocional deles, que é equivalente às causas metafísicas que levam às doenças.

A interpretação metafísica da saúde não é um procedimento de adivinhação, mas sim de estudos aprofundados e amplas pesquisas que realizamos, no intuito de identificarmos os fatores internos correlacionados às doenças.

A descrição dos padrões das doenças é possível porque nos "tropeços" e nos sofrimentos somos iguais e nas qualidades, somos únicos. Podemos dizer que os conflitos nos igualam aos outros, enquanto as habilidades nos tornam singulares. Exemplo: para aprender a pintar, o traçado do ângulo da perspectiva é praticamente uma dificuldade de todos, porém, depois que se aprende, cada artista possui uma singularidade de traçado, uma predominância de cores etc.

Portanto, os conflitos vivenciados por um doente são os mesmos pelos quais as outras pessoas passam, quando apresentam a mesma enfermidade no corpo. Estudando alguns casos de pessoas afetadas com uma determinada doença, ficam evidentes as mesmas dificuldades existenciais. Os sentimentos nocivos são praticamente os mesmos. O que difere são as situações externas desencadeadoras daquele conflito emocional. Pode-se dizer que existe uma diversidade de acontecimentos que pode provocar as mesmas reações nocivas. Exemplo: uma dificuldade financeira, a perda de projeção social e até mesmo o fim de um relacionamento afetivo podem causar a baixa autoestima ou a perda do autovalor. Diante das diferentes áreas da vida, as pessoas podem manifestar os mesmos sentimentos autodepreciativos.

Desse modo, instalam-se as mesmas doenças, com iguais conflitos emocionais. Elas afetam diferentes pessoas e são provocadas por distintas ocorrências da vida.

No entanto, a saúde física é um reflexo da manifestação dos potenciais. Nesse aspecto encontramos a singularidade do ser. As qualidades são únicas, ninguém é igual a ninguém quando faz aquilo que sabe. Cada um tem o seu jeito de ser, não tente imitar, tampouco se adequar aos outros. Além de se frustrar e inibir seus potenciais, seu comportamento se iguala aos conflitos metafisicamente geradores das disfunções orgânicas. Preserve a autenticidade: isso trará saúde e realização pessoal.

Os conceitos metafísicos aqui apresentados não são meras especulações acerca do que o enfermo sente, mas do reconhecimento das principais dificuldades que ele apresenta diante de certos acontecimentos.

Ao desenvolver o assunto, revelando nas doenças as mais íntimas dificuldades das pessoas, seus conflitos e os mais caros sentimentos, cuidamos para não o fazer de maneira pejorativa, que venha causar algum tipo de desconforto em relação ao seu grupo. Temos o cuidado de revelar as suas verdades, sem dar margem a nenhum tipo de discriminação; muito menos, que elas sejam motivo de chacotas, em razão dos sentimentos que têm cultivado interiormente.

O foco central desse estudo é oferecer ao próprio enfermo e àqueles que estão próximos a ele, como também aos profissionais de saúde, um visor do universo interior, e uma espécie de mapeamento dos conflitos emocionais que estão por trás dos distúrbios orgânicos.

Com o conhecimento metafísico das causas das doenças, o próprio doente pode retomar o seu poder e intervir sobre o mal que afeta o seu organismo. Por meio da mudança de atitude, ele promove a reformulação interna, colaborando com a recuperação da sua saúde.

Aqueles que conhecem alguém doente, ou têm um ente nessas condições, poderão favorecê-los no processo de estabilidade emocional, agindo de maneira a minimizar o padrão nocivo. Em vez de acentuar os mecanismos emocionais causadores das doenças, vão saber como lidar com as dificuldades alheias. Mesmo que nada consigam fazer pelo outro, compreenderão as razões do sofrimento, evitando revoltas. A consciência metafísica evita achar que alguém padece injustamente. Tudo o que se passa é de acordo com o que foi cultivado interiormente.

No tocante aos profissionais de saúde, tais como os terapeutas, os conhecimentos da metafísica da saúde permitem a eles realizarem o aconselhamento metafísico, que consiste na orientação sobre os conflitos emocionais presentes na doença. Eles podem dar importantes "dicas" para os seus clientes acessarem os recursos para lidarem com as dificuldades existenciais, favorecendo a estabilidade emocional.

SISTEMA NERVOSO
Interação

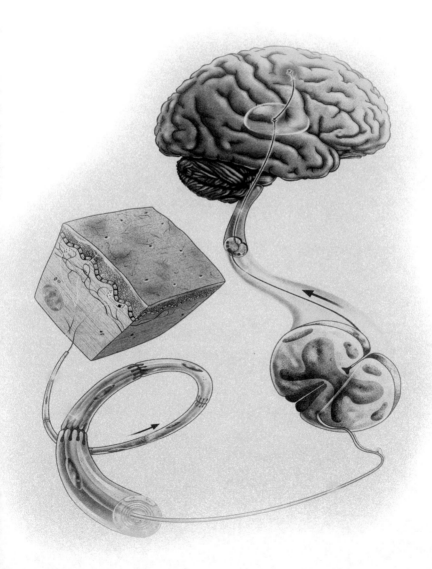

SISTEMA NERVOSO

O sistema nervoso é um centro de controle que coordena as atividades corporais tais como: andar, falar, comer etc. e, ainda, várias outras funções motoras, possibilitando a integração do organismo com o ambiente.

Ele desempenha três funções básicas: *sensitiva, integradora* (de associação) e *motora*. A primeira é a capacidade que esse sistema possui de monitorizar o que acontece dentro do próprio corpo, sentindo as variações do organismo e a identificação dos estímulos provenientes do meio externo, como os sinais luminosos, térmicos, sonoros etc., que provocam a excitação das fibras nervosas sensitivas. A segunda é responsável pelo processamento dos estímulos recebidos: armazena parte dessas informações e toma decisões quanto à resposta apropriada para cada estímulo. A terceira responde aos estímulos, organizando o funcionamento corporal por meio de secreções glandulares; e também dá início às ações, promovendo contrações musculares que resultam em movimentos.

O sistema nervoso é um receptor e emissor de sinais que possibilita tanto a percepção do que se passa no próprio organismo quanto fora dele, ou às reações motoras que ocorrem em resposta aos estímulos recebidos.

Geralmente os estímulos provenientes do corpo ou do ambiente atingem o córtex, que, com o cérebro, processam essas informações que são imediatamente percebidas pela consciência. Mas nem todos os sinais atingem o córtex ou se transformam em informações conscientes. Existem alguns estímulos que acionam respostas instintivas, registradas nas extremidades do sistema nervoso central, melhor dizendo, são respondidos automaticamente, sem haver a percepção ou mesmo a interferência da consciência.

Após engolir o alimento, por exemplo, sua presença numa certa parte do sistema digestório gera estímulos nervosos, que são respondidos para aquele mesmo local, provocando movimentos musculares peristálticos, ondas peristálticas, que conduzem o alimento por todo o trato digestivo, passando pelos órgãos em que serão processados os alimentos ingeridos, até chegarem às vias de excreção. Durante esse processo, nem nos damos conta da infinidade de sinais nervosos que coordenam a digestão. Isso acontece também com os batimentos cardíacos, as secreções glandulares etc.

O sistema nervoso coordena a maior parte das funções biológicas, sem que a consciência participe de tudo o que acontece no corpo. Só percebemos os sinais intensos ou contrastantes, que indicam algum desconforto ou anomalia, a exemplo da dor que sinaliza algum distúrbio.

Em relação a essa monitorização do que acontece no próprio organismo, existe um órgão do sentido chamado de *sinestésico*, que pertence ao sistema nervoso periférico, e é responsável pela captação e identificação dos estímulos internos, por meio das fibras sensitivas, localizadas principalmente nos músculos esqueléticos.

Já no tocante às informações provenientes do ambiente, elas são captadas pelos órgãos do sentido (visão, audição, tato, olfato e paladar), gerando estímulos elétricos de baixa intensidade, que são conduzidos para o sistema nervoso central, onde são decodificados. Eles podem ser percebidos pela consciência ou simplesmente disparar certas funções no corpo. O que vemos, por exemplo, pode causar algumas reações biológicas, das quais a consciência nem sempre participa.

Ver algo que representa uma ameaça, por exemplo, mobiliza o organismo a uma pronta reação corporal. Antes de ocorrer qualquer movimento, são disparados sinais nervosos para as glândulas suprarrenais, que secretam hormônios; entre eles a adrenalina, que coloca o corpo num estado de alerta, para revidar as ameaças do meio. Pode-se dizer que não nos damos conta de toda a complexidade das atividades corporais acionadas pela interpretação dos acontecimentos exteriores.

O sistema nervoso é uma espécie de visor e processador das condições corporais, possibilitando a manifestação da consciência no organismo, bem como a interação com o ambiente. Permite a coordenação biológica, a identificação do ambiente, a manifestação dos pensamentos e a mobilidade do corpo.

No âmbito metafísico refere-se ao elo consigo mesmo, que proporciona a percepção individual e situa a pessoa na vida, tornando-a capaz de autodefinir-se como alguém que existe diante de tudo o que está ao seu redor, promovendo a consciência de si.

Por meio da autoconsciência é possível refletir a respeito dos processos existenciais que englobam os sentimentos e também os acontecimentos exteriores. Tudo isso pela percepção de uma infinidade de estímulos nervosos, manifestos principalmente no córtex e no cérebro, gerando o pensamento do que acontece no corpo ou fora dele.

A atividade do pensamento, a manifestação do sentimento e o reconhecimento das necessidades corporais proporcionam o respeito próprio e a harmonia interior, que são fundamentais para estabelecer uma boa relação com o mundo exterior.

A preservação do bem-estar físico e do respeito próprio situa a pessoa no presente de maneira íntegra, gerando comportamentos harmônicos e ações precisas. Essas posturas de integração com o mundo exterior estabelecem condutas condizentes com os acontecimentos presentes, desprovidos de qualquer relação com o passado, tais como os reflexos traumáticos ou alguma lembrança que venha a gerar sentimentos negativos ou perturbar o desempenho do indivíduo no ambiente.

Obviamente, reagir desprovido de qualquer relação com acontecimentos anteriores é praticamente impossível, principalmente por se tratar do sistema nervoso, que é especializado em fazer associações para identificar a realidade. Essa função é desempenhada em grande parte pela mente, e será descrita no tema "cérebro".

Para conseguir certo nível de discernimento é necessário entrar num estado de lucidez, no qual a consciência seleciona as respostas, filtrando qualquer relação com episódios ruins e integrando-se com os fatos em questão.

A auto-observação não é um hábito frequente. Dificilmente as pessoas incluem-se como foco da situação, fazendo referência àquilo que os acontecimentos causaram nelas ou, mesmo, como se sentem diante dos fatos.

Isso mostra o quanto as pessoas vivem desconectadas delas mesmas e não têm por hábito essa busca do eixo interior. Esse tema será mais bem explanado nos aspectos metafísicos da coluna, que representa metafisicamente o eixo de sustentação interior.

Geralmente, o ambiente torna-se o principal foco da existência. Nele são projetadas as inquietações e incertezas. As instabilidades emocionais, por exemplo, são transferidas para as situações exteriores, em forma de ameaças. As pessoas identificam os episódios corriqueiros, como se eles pudessem evoluir e causar grandes danos a elas. Ou ainda, prejulgam os acontecimentos como se houvesse algum tipo de injustiça em torno dos fatos, provocando o sentimento de vítimas das situações. Tudo isso é originado pela fragilidade interior que é revelada por meio da identificação tendenciosa do ambiente exterior.

Isso é tão evidente no processo existencial que se pode conhecer o universo interior de alguém por meio de sua condição de vida, pois a realidade exterior revela a condição interior.

As pessoas que se deixam levar pelos acontecimentos externos distanciam-se delas mesmas. Tornam-se dependentes dos resultados, que raramente estão à altura das expectativas. Isso provoca frustração e pode desencadear os processos depressivos ou mesmo as compulsões. Além disso, elas estão sempre envolvidas com situações instáveis ou turbulentas. Esses eventos revelam suas inseguranças, inquietações e ansiedades que são cultivadas interiormente, sendo, portanto, transferidas para o ambiente exterior.

Quando a vida se apresenta de forma muito confusa, seguramente a pessoa traz em si uma série de conflitos existenciais. Principalmente a falta de estabilidade emocional, que é resultado da displicência para consigo mesma.

É preciso desenvolver o hábito da auto-observação, pois assim estaremos mais próximos de nós mesmos, podendo descobrir aquilo que sentimos e compreender as necessidades internas, como as carências afetivas. Para que, aliados a nós mesmos, busquemos aquilo que realmente vai nos beneficiar, e não os subterfúgios existenciais, como viver falando da vida alheia, observando as falhas ou as grosserias dos outros.

A autoconsciência evita que as lacunas interiores se transformem, por exemplo, em desejo de posse ou compulsão de compras. Esses engodos são formas de preencher o vazio interior. Geralmente, as pessoas não se dão conta da proporção das suas necessidades internas. Seria mais fácil lidarem com as suas próprias dificuldades se percebessem mais a si mesmas; isso resgataria o eixo de sustentação interna, restabelecendo o elo com a sua essência.

Em vez disso, muitas preferem fugir a encarar suas fraquezas. Caso o fizessem, teriam que reconhecer as suas vulnerabilidades e deparar com os próprios medos. Buscam serem reconhecidas e valorizadas pelos outros; têm necessidade de aprovação. Querem adquirir notoriedade positiva, ou seja, passar uma boa imagem para serem "badaladas" pelos bons resultados. Dependem de resultados positivos para se sentirem valorizadas e aceitas pelas pessoas que as rodeiam.

Procuram sanar suas necessidades emocionais e afetivas por meio dessas referências exteriores, melhor dizendo, de fora para dentro. O inverso é mais eficiente. Em primeiro lugar é preciso estar bem consigo mesma, reconhecer-se como pessoa, fortalecer a estima, para depois lidar com os acontecimentos exteriores.

Para conquistar o progresso interior, procure se definir a cada momento, observando como você está se sentindo nesse instante. Caso não esteja bem, busque o aconchego no seu ser, dando a si nova chance. Tenha pensamentos amenos, seja complacente para consigo mesmo. Muitas vezes você foi tolerante para com os outros, procure agora compreender mais a si mesmo. Descubra algo bom a seu respeito e enalteça suas qualidades. O importante é estar consciente de si, sentir-se bem interiormente e agir a seu favor, consequentemente a vida será melhor.

Não tema a viagem interior, pois ela conecta você à sua própria essência, ampliando os potenciais. Caso nesse processo você depare com alguns sentimentos de inferioridade, inseguranças e medos, eles estão na periferia do seu ser. Depois de transpô-los ou superá-los, você será preenchido de muitos conteúdos positivos que vão se somar àquilo que já é consciente, proporcionando melhores condições internas. Esse é o caminho do aprimoramento.

Por fim, estar de bem consigo mesmo propicia uma boa relação com o meio exterior, inclusive com as pessoas ao nosso redor. Esse estado interior melhora a qualidade de vida e também preserva a saúde do sistema nervoso.

*_*_*

No âmbito metafísico existe um fator de suma importância relacionado ao sistema nervoso e a todas as suas ramificações, por se tratar de um sistema que estabelece elos, tanto consigo, quanto com o ambiente. A maneira como a pessoa se conecta com ela mesma, percebe e preserva seus mais caros sentimentos, representa uma condição relacionada com o sistema nervoso central. Também o elo com o meio em que ela vive, ou seja, a proximidade dos fatos, está relacionado com o sistema nervoso periférico.

Portanto, o tipo de ligação que estabelecemos com os fatores internos e externos representa importantes aspectos metafísicos que favorecem a saúde e o bom funcionamento do sistema nervoso central e periférico. No tocante a essas ligações estabelecidas consigo mesmo e/ou com a realidade, existem dois fatores determinantes: o *envolvimento* e o *desprendimento*.

O envolvimento é o vínculo estabelecido da pessoa para com ela mesma ou com o que a rodeia; ela passa a ser bem posicionada em relação aos próprios sentimentos. Participa ativamente dos assuntos, fazendo colocações como, *eu penso, eu sinto* etc. Adquire maior objetividade para lidar com as diversas situações da vida. A criatividade se acentua, proporcionando boa desenvoltura para sanar as turbulências e resolver os conflitos. Evita uma série de transtornos que a omissão e o distanciamento ocasionariam.

Dentre as principais qualidades dessa postura, destacam-se: maior experiência e conscientização, estabilidade emocional, melhor aproveitamento das faculdades interiores, tais como a inteligência, a perspicácia, a astúcia e a determinação.

Por outro lado, o envolvimento exagerado ou até obsessivo pode causar alguns transtornos, tais como: preocupação excessiva, tensão exagerada, estresse, e até desencadear algumas neuroses.

O desprendimento ou distanciamento é outra atitude metafisicamente relacionada ao sistema nervoso. Até certo grau, o desprendimento pode ser algo muito positivo. Permite, por exemplo, que a pessoa faça uma autoavaliação acerca dos próprios sentimentos. Ser imparcial e não fervorosa nas convicções, permite que a pessoa use o bom senso e amplie a visão de mundo, levando-a a rever algumas de suas verdades. Pode-se dizer que essa é uma grande abertura para conceber o novo e reformular alguns valores internos.

O desprendimento dos assuntos que dizem respeito a si ou mesmo aos outros, permite à pessoa ser imparcial, usar de ponderação e comedimento, evitando decisões precipitadas. Para fazer um bom julgamento, por exemplo, é imprescindível distanciar-se emocionalmente para ver os dois lados da questão.

Muitas vezes, sair da linha de frente dos afazeres dá à pessoa uma pausa para ela refletir sobre o que está sendo feito, evitando ações exageradas que não levam a resultados promissores.

Isso minimiza o impacto causado pelas turbulências da realidade exterior. Essa postura pode não resolver imediatamente o problema, mas suaviza os danos emocionais causados pelas situações conflituosas. Sem contar que é uma atitude recomendada para diminuir o grau de ansiedade causado pelas expectativas que as pessoas costumam ter sobre elas mesmas ou sobre o desenrolar dos fatos.

Por fim, a prática do distanciamento torna a pessoa maleável e flexível, evita desgastes excessivos, melhora o desempenho e aumenta a confiança. Para soltar é preciso confiar em si mesmo e no fluxo da vida, que conduz para o melhor resultado. Essa é uma maneira mais suave de conduzir a vida.

Por outro lado, se o distanciamento for levado ao extremo poderá tornar a pessoa omissa e alienada, fria emocionalmente e indiferente para com o que se passa ao seu redor, inclusive para com os próprios sentimentos. Popularmente, pessoas assim são conhecidas como desligadas. Perdem o interesse por tudo, ficam alheias ao mundo e também a si mesmas.

Metafisicamente, o distanciamento está relacionado com uma parte do sistema nervoso periférico, o parassimpático, que será discorrido mais adiante. Portanto, os aspectos positivos dessa atitude colaboram para o bom funcionamento desse sistema e os excessos são prejudiciais à saúde dos nervos parassimpáticos.

O sistema nervoso é dividido basicamente em dois: Sistema Nervoso Central e Sistema Nervoso Periférico.

SISTEMA NERVOSO CENTRAL (SNC)

Elo consigo mesmo.

É composto pelo encéfalo e pela medula espinhal (localizada no interior da coluna vertebral).

O encéfalo é um dos maiores órgãos do corpo humano, é formado por aproximadamente 100 bilhões de neurônios e pesa cerca de 1.300 gramas. As principais partes que o compõem são: tronco do encéfalo, cérebro (diencéfalo e telencéfalo) e cerebelo.

O tronco do encéfalo, também conhecido como "cabo do cogumelo", está situado na região central do encéfalo, estendendo-se até a medula espinhal. Consiste de bulbo (medula ablonga), ponte e mesencéfalo.

O cérebro é composto pelo diencéfalo e pelo telencéfalo. No diencéfalo estão localizados o tálamo e o hipotálamo[3]. O telencéfalo representa a maior parte do cérebro. É constituído pelos hemisférios direito e esquerdo, pelo corpo caloso e circundado pelo córtex cerebral.

O cerebelo é a segunda maior porção do encéfalo, também chamado de pequeno cérebro. Está localizado na base posterior do encéfalo (nuca).

O sistema nervoso central (SNC) é protegido pelos ossos do crânio e pelas vértebras da coluna cervical. Entre o SNC e os ossos que o revestem existem camadas de tecidos (membranas)

---

[3]. Para saber mais, consulte: *Metafísica da Saúde*, volume 3, em que o hipotálamo e a glândula hipófise foram abordados, p. 43.

muito resistentes, chamadas *meninges*, que protegem e amortecem os impactos, evitando o atrito entre as células nervosas e os ossos.

Todas as ações e reações do organismo estão sob o controle do sistema nervoso central. Qualquer tipo de estímulo, ao excitar determinado receptor, é transmitido para o SNC, sempre sob a forma de impulsos nervosos. Eles são identificados e respondidos, possibilitando a coordenação biológica e a movimentação corporal.

Metafisicamente, o SNC é o mais importante referencial manifestado do ser. Ele detém os registros de quem somos, revela a identidade, fazendo prevalecer nossas características de personalidade e os hábitos desenvolvidos no consciente. Portanto, é o eixo que nos conecta com o corpo e situa-nos na vida, possibilitando a manifestação da consciência.

Por meio dele obtemos a percepção de nós mesmos, e também podemos agir no meio, expressando no ambiente o que sentimos. Basicamente, o que somos e o que fazemos está metafisicamente relacionado ao sistema nervoso central. Esse sistema desperta-nos para a vida, possibilitando a nossa interação com o ambiente.

A consciência é obtida graças à percepção dos sinais nervosos que percorrem o SNC. Por meio dele identificamos a realidade, acionando as faculdades interiores, como os pensamentos, a inteligência etc.

Segundo Piaget[4], o que difere o homem das demais espécies animais é a capacidade que ele possui de aprender com base em sua interação com o meio e o desenvolvimento das estruturas de pensamento. Os conteúdos exteriores são

---

4. Psicólogo suíço (1896-1980) que estudou o desenvolvimento do pensamento em 1967.

transformados em informações que acionam os mecanismos internos, proporcionando a construção do conhecimento, que, por sua vez, é reproduzido e estendido a outros setores da vida.

Essa é uma das extraordinárias capacidades que a espécie humana possui: organizar o conhecimento e aplicá-lo numa ocasião oportuna, conquistando assim, habilidades para lidar com as situações, por meio do que já elaborou anteriormente.

De posse dessas estruturas interiores, que foram construídas a partir da interação entre o sujeito e a sua capacidade de aprender, com o objeto do conhecimento, surge a consciência.

Ela se apropria desses esquemas construídos por meio das experiências vividas para manifestar as qualidades inerentes ao ser.

Representa o princípio intelectual que nos permite discernir, fazer escolhas, usar o bom senso e exercitar o livre-arbítrio. É dotada da capacidade de aprendizagem e de simbolizar, permitindo a identificação discriminatória dos processos existenciais.

Portanto, a consciência surge a partir dos fenômenos exteriores, que são interpretados pelos nossos registros internos, sem os quais se torna impossível conceber a existência dos fatos. Ainda que as coisas existam e, mesmo que sejamos capazes de captar os sinais provenientes delas, por meio dos órgãos do sentido, isso não seria suficiente para interagirmos conscientemente com o mundo exterior.

É preciso existir em nós uma referência para a percepção da vida. Caso contrário, os fatos tornam-se uma espécie de lapsos, que acionam os nossos reflexos automáticos. Isso não significa tornar-se consciente, pelo menos da maneira que nos reportamos à consciência, dentro da visão metafísica.

Passar desapercebido por um fato, como cruzar uma pessoa na rua, por exemplo, até desviar-se dela, como reflexo automático, ocasionado pelo mero registro de alguém à frente, não condiz com a consciência a que nos referimos neste estudo. Essa, com base no exemplo anterior, seria o mesmo que cruzar com uma pessoa, reconhecê-la ou mesmo refletir sobre quem é ela e o que está fazendo ali. Isso equivale à integração com a realidade, melhor dizendo, tornar-se consciente do que nos cerca.

Praticamente só identificamos o que temos registrado em nós. Segundo a ótica metafísica vivemos cercados de situações compatíveis com nossos conteúdos interiores. Na medida em que nos aproximamos do ambiente exterior, estamos acionando um processo de aprimoramento das qualidades latentes no nosso ser. Ao superar os obstáculos impostos pela vida, não só ampliamos os nossos horizontes e nos tornamos mais gabaritados, como também diluímos os nossos bloqueios e resolvemos os nossos próprios conflitos.

Por meio das situações externas, superamos as dificuldades internas, e, consequentemente, desenvolvemos habilidades para lidar com as qualidades inerentes ao ser. A consciência está mergulhada no seu próprio universo inconsciente. A realidade exterior promove a transferência dos conteúdos do inconsciente para o domínio consciente.

Pode-se dizer que o mundo a nossa volta é fiel representante das condições internas. Os episódios agradáveis equivalem à manifestação dos nossos potenciais. Já as ocorrências desagradáveis referem-se aos conflitos interiores.

As coisas existem ou são percebidas ao nosso redor por serem compatíveis com nossos conteúdos. Somente acusamos a presença de algo, se houver algum fator em comum. Caso contrário, não passa de mero registro, sem despertar qualquer impulso de interação, ou seja, passará desapercebido.

A própria regularidade com que identificamos certos eventos é baseada na predisposição para percebermos determinados episódios. Geralmente, quando estamos vivenciando uma experiência, deparamos com muitos casos semelhantes. Ao contrairmos uma doença, por exemplo, serão logo observados muitos outros casos. Uma grávida passa a reparar a existência de muitas outras mulheres grávidas, ao passo que, antes de engravidar, não atentava para esse fato.

À medida que se vivencia um processo, a percepção e a identificação de casos semelhantes aumentam. Já, quando não existe a mesma referência, o caso passa desapercebido.

Portanto, o que identificamos ao nosso redor ou o que nos chama a atenção nas pessoas têm relação direta com nossos próprios processos. Certas condutas dos outros que nos afetam, causando irritação ou indignação, representam algo mal resolvido interiormente. Projetamos para fora aquilo que nos incomoda por dentro. Pode-se dizer que o foco da maioria dos problemas identificado nos outros está em nós mesmos, caso contrário, a experiência alheia não causaria tanto desconforto.

A afinidade com os acontecimentos exteriores estabelece a conexão com a realidade, possibilitando a interação com o ambiente, como forma de contato com o universo interior.

Realizamos fora aquilo que cultivamos interiormente. A maneira como nos dirigimos aos outros, equivale à forma como nos tratamos. Antes de qualquer ação no ambiente, criamos um modelo em nós. *Só damos o que temos.* Por esse motivo, se a nossa vida requerer alguma mudança, primeiramente precisamos reformular algo em nosso interior, pois nele repousa a causa dos infortúnios, bem como a chance de sermos bem-sucedidos.

Não basta simplesmente intervir nos acontecimentos, pois isso tornaria a nossa atuação exaustiva. Para obter um bom desempenho no ambiente é necessário, antes de tomar qualquer medida, elaborar interiormente o que vamos fazer e adotar atitudes favoráveis aos resultados almejados. Essa reorganização interior garantirá maior aproveitamento nos afazeres.

A nossa condição interna é determinante sobre as questões externas. Uma condição de vida, porém, reforça o padrão compatível àquela situação, isso intensifica ainda mais tais episódios. É uma espécie de ciclo vicioso, no qual, por se sentir de um jeito, tudo se torna daquele jeito, consequentemente por nos encontrarmos diante de tais situações, isso intensifica os sentimentos compatíveis aos fatos. Esse sincronismo entre as situações externas e os padrões internos somente será alterado quando conseguirmos mudar as crenças e implantar um novo comportamento.

Para compreender melhor essa relação entre as condições internas e a vida e, principalmente, como mudar o quadro, vejamos os exemplos a seguir:

Uma pessoa que se encontra desempregada, facilmente se sentirá à parte da sociedade. Pelo fato de não estar engajada numa empresa, ela se põe fora do contexto social. Esses sentimentos distanciam-na de uma colocação profissional. O mesmo acorre com uma mulher que está sozinha, sem namorado; isso poderá desencadear sentimentos de isolamento. Ela não se sente merecedora de uma boa companhia. Isso dificulta atrair um parceiro para estabelecer uma boa relação afetiva.

À medida que a pessoa altera suas estruturas internas, ela cria condições propícias no seu meio. Quando o desempregado, por exemplo, sentir-se integrado na cidade onde mora, vendo-se como um cidadão que possui bons atributos profissionais para contribuir com uma empresa, ele estará num padrão adequado para atrair uma colocação.

Quando consegue um emprego, a pessoa passa a se sentir aceita ou reconhecida como profissional; isso abre outras oportunidades. É muito comum uma pessoa que ficou procurando emprego por muito tempo, depois que consegue um trabalho, ser alvo de outras chances.

Na vida afetiva ocorre algo semelhante. Quando se estava sozinho, não aparecia ninguém disposto a estabelecer um relacionamento. Quando se está acompanhado, porém, facilmente surgem outras oportunidades afetivas, coisa que antes, quando se estava carente, não acontecia.

O que mudou entre uma fase e outra, uma de escassez e outra repleta de oportunidade, foi a condição interior. Melhor dizendo, quando a pessoa foi contratada, ela passou a se sentir integrada à sociedade; isso possibilitou o surgimento de novas oportunidades de trabalho. A pessoa, quando começou um relacionamento afetivo, passou a se sentir aceita por alguém, acreditando tratar-se de uma boa companhia; isso gerou um padrão que atraiu novas chances de parceria.

Assim sendo, antes de agir para mudar as condições de vida e superar uma fase difícil, é necessário promover algumas reformulações internas. Antes de sair em busca de algum emprego, por exemplo, procure sentir-se parte integrante da sociedade e merecedor de uma boa oportunidade profissional. Para ser feliz no amor é importante, antes de tudo, elevar a estima e sentir-se uma boa pessoa na vida de alguém; acreditar que você merece ser feliz afetivamente.

Portanto, quem tem algo bom é porque se sente merecedor do que usufrui e integrado com as situações agradáveis.

Já aquele que não tem bons frutos é porque não foi capaz de assumir o que almeja nem se sente digno de ter uma melhor condição de vida. Por se colocar distante do que é bom, a própria pessoa impede as oportunidades de conquista e, consequentemente, não goza dos privilégios de ser bem-sucedida.

Por outro lado, a atuação convergida para o externo não deixa de ser um caminho para a reformulação interior. Por certo, é um caminho mais árduo, no entanto, a busca de solução para uma situação desagradável, torna-se um meio de aprimoramento interior. Enquanto o desempregado, por exemplo, perambula pela cidade, buscando ostensivamente um trabalho, ele estará fazendo uma trajetória que o levará a sentir-se integrado àquela sociedade, consequentemente, merecedor de um emprego; afinal, ele batalha muito para isso. Esse estado interior põe fim a sua busca e ele consegue ser contratado.

O mesmo se aplica à trajetória de especialização. Quando uma pessoa ingressa no meio acadêmico ou dá início a um trabalho de pós-graduação, ou faz um curso de especialização, além do preparo, propriamente dito, para o exercício daquela profissão, ela também adquire uma atitude compatível à atuação naquela área. Essas atuações promovem um desenvolvimento simultâneo. Tanto gabarita a pessoa para exercer uma função na área de formação, quanto gera uma postura profissional necessária para atrair oportunidade de trabalho, na área de especialização.

No tocante à saúde, observa-se semelhante processo durante os tratamentos das doenças. As sucessivas consultas médicas, o cerimonial de tomar o remédio, bem como a pausa nas atividades rotineiras, imposta pela necessidade de convalescença, torna-se um árduo caminho para reformular os padrões metafísicos causadores da doença.

Portanto, as pessoas perspicazes, que buscam se trabalhar interiormente, reformulando as crenças, revendo os padrões, ao mesmo tempo em que atuam na realidade exterior, adquirem os meios para alcançar os seus objetivos. Elas têm melhor desempenho nas suas atuações. Por outro lado, aqueles que se dedicam a agir com foco nas situações exteriores, buscando os meios para sanar os obstáculos impostos pela vida, também conseguem promover as reformulações interiores necessárias para obter melhor qualidade de vida.

Assim sendo, a busca pela consciência ou a dedicação pela reformulação interior não são as únicas formas de aprimoramento ou mudança de atitude. As próprias experiências de vida proporcionam os recursos necessários para as devidas reformulações interiores. Dedicar-se às conquistas materiais reforça as crenças positivas, tais como: "eu mereço, sou bom o bastante etc.", que são necessárias para conquistar melhores recursos existenciais.

Esse é um processo, por meio do qual a pessoa vai, gradativamente, integrando-se ao que conquistou, reforçando assim as crenças necessárias para consolidar as conquistas existenciais. Portanto, a mudança de vida, bem como a reformulação interior, acontecem em ambos os casos.

Pode-se dizer que só não progride quem não se trabalha nem atua na realidade. Aqueles que forem passivos às condições de vida, mesmo elas não sendo agradáveis, nada fazem para alterar o curso de sua existência, tampouco buscam os meios para reformular suas crenças. Acabam sendo absorvidos pela situação ruim, e suas posturas tendem a piorar ainda mais o que não está nada bom. Isso se estende até o ponto em que a vida se torna insuportável. Quando a pessoa estiver num estado existencial deplorável, "fundo do poço", por força das circunstâncias, ela reage, acionando os processos de transformação interior, bem como da sua vida.

Vale ressaltar que a reformulação interior é um significativo passo para atrair oportunidades, mas não substitui a atuação na vida material. Para ser bem-sucedido é primordial ter crenças favoráveis ao sucesso, que atraem as oportunidades e propiciam as chances de atuação. A situação boa, porém, é consolidada também pela nossa interação com o ambiente; afinal, estamos no mundo material, e nele, para se ter algo, faz-se necessário pelo menos um gesto nesse sentido.

Por fim, as crenças são fundamentalmente importantes para conquistar o que almejamos. No entanto, não devemos nos esquecer de que a atuação direta na situação tem o seu valor na obtenção dos resultados pretendidos, pois, como vimos, a própria atuação reforça os padrões positivos e desperta crenças favoráveis às conquistas.

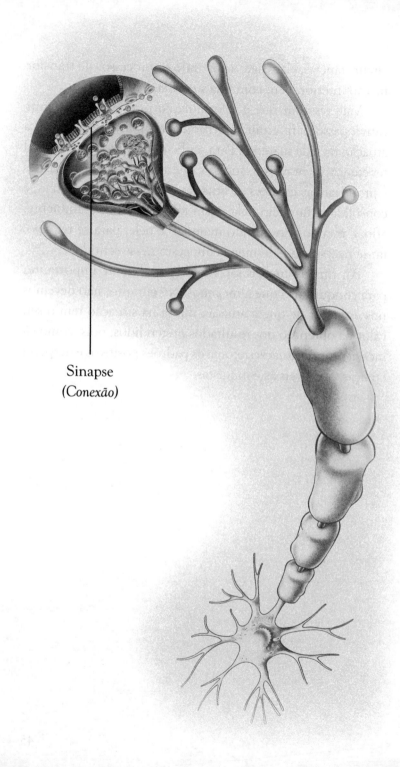

Sinapse
(Conexão)

SINAPSE

Sentimento de aptidão.

A unidade estrutural responsável pela função do sistema nervoso é o neurônio ou célula nervosa. Cada neurônio é constituído por um corpo celular e prolongamentos, que podem ser um ou vários, dependendo do tipo de neurônio.

Um impulso nervoso percorre o interior do neurônio até atingir toda sua extensão. Ele também é conduzido de um neurônio para outro, ou de um neurônio para outras células, tais como as fibras musculares e os tecidos glandulares (glândulas endócrinas). Esse processo é denominado sinapse – junção entre as células.

A sinapse ocorre por meio de um processo químico. O sinal elétrico, enquanto percorre o interior do neurônio, é denominado impulso nervoso. Assim que ele atinge a extremidade dos prolongamentos das células nervosas, numa região chamada vesícula sináptica, é convertido em substâncias químicas, denominadas neurotransmissores, que são liberados pelos neurônios e atuam nos receptores de neurotransmissores do neurônio seguinte ou das células musculares e glandulares.

No aspecto metafísico, a sinapse representa a manifestação do ser na vida. Tanto a percepção, quanto a identificação dos eventos interiores (do próprio organismo) e também exteriores (provenientes do ambiente), bem como a atuação no meio exterior, estão intimamente relacionadas com a sinapse.

A maneira como nos relacionamos com a vida, o que sentimos ou pensamos acerca daquilo que se passa ao nosso redor, representa suma importância para a atividade química do corpo. Esse estado interior proporciona também a lucidez, por meio da qual se pode processar as informações recebidas com base no que foi aprendido anteriormente e que agora serve de conteúdo para identificar os episódios atuais.

Tudo o que se manifesta em nós é consequência da própria concepção a respeito dos estímulos gerados, tanto pelo organismo quanto pelo meio externo. Baseados nos elementos interiores, interpretamos os episódios exteriores e desenvolvemos determinados conceitos acerca do que nos acontece. Também geramos sensações, impulsos e sentimentos, que invadem nosso ser, estabelecendo um determinado estado interior. Pode-se dizer que tudo acontece de acordo com o que nós mesmos concebemos a respeito dos fatos.

Os sentimentos não são atributos exclusivamente da espontaneidade; eles também são decorrentes do que cultivamos em nosso interior. Do mesmo modo que o sentimento gera pensamentos compatíveis ao que sentimos, também os pensamentos manifestam sentimentos equivalentes ao que pensamos.

Quando somos invadidos por um sentimento, imediatamente surgem os pensamentos. O amor, por exemplo, faz-nos pensar na pessoa amada; sentir medo leva-nos a ventilar possibilidades assustadoras. E assim sucessivamente, basta sentir que vamos pensar em algo correspondente àquilo que sentimos.

O oposto também é verdadeiro. De acordo com os pensamentos que cultivamos, são gerados os sentimentos. Os bons pensamentos geram sentimentos agradáveis; já os maus pensamentos provocam sentimentos ruins.

Ao conceber possibilidades favoráveis a um evento importante, passamos a nos sentir bem e confiantes em relação àquela ocasião. Pensar positivamente desperta sentimentos favoráveis ao bom resultado, fortalece a segurança, reacendendo a "chama" da motivação. Consequentemente, pensamentos amorosos causam mais amor e assim, sucessivamente.

Por outro lado, quando nos colocamos a pensar nos acontecimentos desagradáveis, somos invadidos por uma onda de negativismo, gerando maus sentimentos. A lembrança de alguém de quem não gostamos piora o nosso sentimento de desagravo.

Em suma, amor e ódio são sentimentos antagônicos, porém, ambos podem ser semeados e cultivados pelos pensamentos. A frequente lembrança contribui significativamente para aumentar a intensidade do afeto ou minimizar os desafetos. Do mesmo modo, quando evitamos os pensamentos perturbadores, preservamos os bons sentimentos e/ou evitamos o ódio.

A proximidade da pessoa amada é considerada uma condição favorável para cultivar o sentimento, enquanto a distância geralmente amortece o amor. O mesmo ocorre em relação à convivência com uma pessoa de quem não gostamos: a presença constante leva-nos a ficar olhando para as coisas que ela faz; refletindo sobre os absurdos, intensificamos os desagrados, gerando o ódio. Nesse caso, pode ocorrer o contrário, passamos a entender a situação dela e convertemos o sentimento, passando a gostar ou respeitá-la.

Os pensamentos representam um caminho para o sentimento. Pensar é investir energia naquilo que detém nossa atenção, enquanto sentir é produzir energia, dando vida e significado a tudo o que existe.

O sentimento é valioso. O pensamento é o seu maior guardião; ele zela, cultiva ou converge o conteúdo mais precioso do nosso ser, o amor.

Não conseguimos controlar os sentimentos diretamente, porém os pensamentos poderão ser coordenados por nós. Eles, por sua vez, vão conduzir os sentimentos. Melhor dizendo, conseguimos interceder nos sentimentos por meio dos pensamentos. Portanto, quando algum sentimento ruim invadir nosso ser, devemos evitar os pensamentos compatíveis a ele; com o tempo conseguiremos transformá-lo ou minimizá-lo.

Cultivar determinados pensamentos e sentimentos, metafisicamente, proporciona um aumento ou diminuição da química do sistema nervoso central, ocasionando ausência ou presença de neurotransmissores, favoráveis ao bem viver.

A maneira como nos sentimos em relação aos eventos existenciais estimula diretamente a produção ou inibição de determinado neurotransmissor. Cada mediador químico corresponde a determinado sentimento. Melhor dizendo, os neurotransmissores são decorrentes de determinados pensamentos, que, se forem cultivados com muita frequência, geram sentimentos. Esses, por sua vez, interferem na química do organismo. O próximo passo do nosso estudo será compreender essa relação metafísica existente entre a atitude interior e a produção dos neurotransmissores.

Pode-se dizer que o sentimento acrescenta animação à vida e os neurotransmissores são os ingredientes orgânicos dessa condição existencial, melhorando a qualidade de vida. Os sentimentos agradáveis promovem uma boa condição orgânica, já os sentimentos ruins causam variações químicas do corpo, podendo inclusive ocasionar as doenças.

NEUROTRANSMISSORES

Característica do elo estabelecido com os acontecimentos.

Neurotransmissores são conjuntos de substâncias químicas produzidas e liberadas pelas células nervosas em resposta a um estímulo. São lançados no espaço sináptico e se unem a um neuroreceptor específico no neurônio seguinte. Eles são responsáveis pelos processos químicos de transmissão do sinal nervoso nas sinapses, possibilitando a comunicação entre os neurônios.

Os neurotransmissores atuam basicamente de duas maneiras: *transmissões excitatórias*, que produzem um novo impulso nervoso; *transmissões inibitórias*, que impedem a propagação dos impulsos nervosos.

Entre os neurotransmissores destacam-se: a *acetilcolina, a miastenia* e as monoaminas (*dopamina, noradrenalina, adrenalina, serotonina etc.*).

A ação ou ausência dessas substâncias reflete diretamente na saúde, no humor, bem como na qualidade de vida.

Os neurotransmissores estão presentes em todas as sensações que o corpo registra, tanto na identificação do mundo exterior, quanto na manifestação em forma de ações dirigidas ao meio externo; e também na atividade do pensamento. Pode-se dizer que a percepção do mundo, as sensações e os estados de consciência estão, de alguma forma, relacionados com os neurotransmissores ou dependem exclusivamente deles.

Na metafísica eles referem-se ao tipo de sentimento gerado por algo que acontece no próprio organismo ou no ambiente exterior.

A nossa interação com o mundo se dá basicamente de duas maneiras: quimicamente (por meio das ações dos neurotransmissores) e conscientemente (por meio das sensações e dos sentimentos gerados pelos acontecimentos exteriores).

Pode-se dizer que a maneira como reagimos ao que acontece dentro e fora do organismo, determina nosso estado emocional, que, por sua vez, influencia na produção dos neurotransmissores.

A seguir vamos compreender cada um dos principais neurotransmissores, bem como as respectivas relações metafísicas associadas a eles.

ACETILCOLINA

Disposição para interagir.

Trata-se de um mediador químico encontrado no córtex cerebral, no sistema nervoso autônomo e em todas as junções neuromusculares esqueléticas. É uma substância excitatória, que favorece a contração muscular, promovendo os movimentos corporais.

Por se tratar de um neurotransmissor responsável pela atividade muscular, metafisicamente, a acetilcolina se refere à atitude favorável à interação com os acontecimentos externos, à disposição para fazer o que cabe a si, sem exageros.

Sentir-se integrado ao meio e apto para realizar o que for necessário, sem deixar a desejar para os outros, evita os comportamentos arrogantes, com desejos de sobressair-se ou boicotar aqueles que estão à sua volta.

Quando a pessoa não se sente integrada ao grupo, ela pode tanto se isolar quanto extrapolar suas ações. Também o esforço para agradar os outros e ser aceita é uma prova dessa falta de inclusão.

Para uma pessoa ser aceita num grupo é necessário, antes de tudo, que ela se sinta parte integrante daquele conjunto e não, à parte dele. A pessoa que se sente excluída, consequentemente não é aceita pelos outros; apesar de buscar a integração, ela leva consigo um ingrediente nocivo ao relacionamento interpessoal, o sentimento de exclusão.

Para assumir uma postura integrada faz-se necessário conquistar primeiramente uma boa relação consigo mesmo e transformar o sentimento de exclusão em aceitação. Posteriormente, você estará apto para estabelecer relações interpessoais.

A conquista de relações amistosas depende basicamente de uma atitude interior compatível, ou seja, atribuir a si mesmo as qualidades pertinentes a um bom amigo. Não se envergonhe pelo que você ainda não sabe, mostre o seu interesse em aprender. É preciso também, preservar as próprias habilidades; assumir o que se tem de bom, sem negar os potenciais, tampouco esconder o que já conquistou.

Essa condição deve existir como uma atitude interior e não como uma conduta constantemente anunciada aos outros. Quem vive se exibindo é porque não se sente bom o bastante. Em geral, esse é um mecanismo de compensação da própria inferioridade. Ele ocorre porque a pessoa não integrou as próprias habilidades. Quando ela as incorporar e passar a se sentir hábil, não terá mais necessidade de provar aos outros as suas capacidades.

Por outro lado, a autopromoção pode ser também uma forma de convencer a si mesmo o que vive anunciando aos outros.

Em alguns casos, a necessidade de falar sobre o que realizou, é uma maneira de fortalecimento interior. Não se trata do desejo de sobressair-se perante o outro nem um ato meramente vaidoso. Mas sim, um meio de angariar elogios, que, por sua vez, promovem o autovalor.

Pode-se dizer que, em certos momentos, prestigiar as boas ações dos outros contribui para torná-los mais seguros e melhorar a autoestima.

Um elogio é sempre bem-vindo, não para massagear o ego, mas sim, como uma maneira de fazer com que a pessoa elogiada se sinta melhor em relação às próprias habilidades que ela possui. Na autoavaliação dificilmente se atribui a si mesmo todo o potencial que se tem. Isto é, as pessoas costumam ser melhores do que elas próprias imaginam.

Portanto, enaltecer o bom desempenho contribui para nivelar o sentimento com as habilidades e promove um estado interior compatível com as próprias habilidades, fazendo a pessoa sentir-se hábil.

Geralmente, as boas ações passam desapercebidas, não são prestigiadas nem reconhecidas pelas pessoas. Isso faz com que aquele que as realizou, não tenha uma referência positiva para valorizar-se. Na queixa por falta de reconhecimento está embutida a necessidade de fortalecer a segurança.

A falta de autovalorização é um ingrediente do sentimento de inferioridade. Aquele que se sente menos que os outros, não consegue um bom desempenho no grupo. Portanto, reconhecer as obras alheias representa, não meramente massagear o ego dos outros, mas sim, promover a autoestima, consequentemente, melhorar a integração do grupo.

Cada um vive tão bitolado na sua própria vida, que não sai da sua visão egóica para prestigiar as boas ações alheias. Não que isso deva ser uma prática constante, mas é uma maneira de incluir os outros na situação. Também colabora com o aprimoramento da autovalorização daqueles que estão ao nosso redor e compartilham da mesma situação. Vale lembrar que se todos os que estão ao seu lado tiverem um bom estado interior, isso melhora a qualidade do grupo.

É mais comum criticar do que considerar as boas ações dos outros. Isso faz com que as pessoas, em vez de se fortalecerem, fiquem mais frágeis e menos motivadas, acabando por comprometer a qualidade do grupo e o bom desempenho dos seus integrantes.

As críticas dirigidas ao desempenho alheio, em alguns casos, refletem a frustração por parte de quem vive criticando os outros. Os bons resultados alheios, intensificam o sentimento de incompetência, provocando a mania de pôr defeito em tudo o que os outros fazem. Além disso, aqueles que se apegam aos defeitos, cultivam o negativismo e fortalecem a ineficiência, não só dos outros, mas também de si próprio. A atenção dirigida à inabilidade das pessoas ao redor é uma atitude contrária ao próprio fortalecimento interior.

Quem cultiva as boas ações, sendo capaz de identificar um gesto bom nos outros, também realiza boas obras.

Não podemos depender exclusivamente do prestígio dos outros para nos sentirmos qualificados. O melhor é nos basearmos nos resultados concretos do nosso próprio desempenho, tais como o retorno financeiro do trabalho executado e as novas chances que nos são dadas. Isso representa fatores positivos para o autovalor, comprovando a nossa eficiência.

Por fim, o bom nível de acetilcolina no organismo, metafisicamente, é uma consequência do sentimento de qualificação, da segurança para agir e da atitude de se incluir perante os outros. Em suma, ser o que somos e sentirmo-nos competentes para agir.

Essa condição interna colabora tanto para a produção desse neurotransmissor, como também favorece a nossa inclusão numa nova realidade de vida. Por exemplo, um novo grupo de trabalho, novos amigos, quando mudamos para outra cidade etc. Para sermos bem-sucedidos em experiências como essas, é fundamental que nos sintamos bem interiormente e em condições de desempenharmos uma função no grupo ou, simplesmente fazer parte dele.

Essa atitude torna a pessoa sociável. Em qualquer lugar que ela se encontra, não terá dificuldade para se aproximar dos presentes, estabelecendo uma relação amistosa com os demais componentes do grupo. Possui bom desembaraço, vencendo qualquer timidez e constrangimento.

Para finalizar essa concepção metafísica queremos transmitir a você um reforço ao seu estado interior. Não se inferiorize perante os outros. Você é tão bom quanto qualquer um que se apresenta como vitorioso. Se não possui conquistas concretas é porque você não idealizou nem se dedicou a se aperfeiçoar naquela área em que o outro é bem-sucedido.

Nunca se sinta inferior a ninguém, acredite, você também é capaz de alcançar o que o outro conquistou. Tudo é uma questão de objetivo e de dedicação, que você também pode conquistar. Pode-se dizer que é possível alcançar os ideais, se você acreditar em si mesmo e se esforçar.

Valorize-se enquanto pessoa, procure não depender de nada para sentir-se aceito num grupo; nem da aprovação dos outros. Pode ser que os outros também tenham suas inadequações e inferioridades, sendo incapazes de reconhecer o valor de alguém. Para admitir as qualidades alheias, precisariam encarar as suas próprias frustrações. Em vez disso, alguns preferem criticar ou encontrar um meio de sobressair-se a reconhecerem suas próprias limitações.

Geralmente, quando existe alguém num grupo, que insiste em exibir suas conquistas, impondo-se para inferiorizar os que o cercam, esse, em geral, também se sente inferior.

Você acha que alguém nessas condições é capaz de admitir um gesto nobre de sua parte? É praticamente impossível arrancar um elogio de uma pessoa soberba, que vive vangloriando-se de que as coisas dela são as melhores. Por tudo isso, seja seu próprio sensor de qualidade. E, se precisar de algum reforço externo para elevar sua estima, considere os resultados obtidos, em vez de buscar a aprovação dos outros.

Assim, sua condição interior se nivela com as qualidades do seu ser. Acredite: você é grandioso e competente. Não dependa da valorização dos outros nem dos bons resultados da sua obra. Sinta-se eficiente pelo simples fato de realizar o que idealizou e não pelo quanto você conquistou no mundo material. Lembre-se de que os grandes homens não alcançaram excelência em tudo o que existe, mas fizeram muito bem aquilo que idealizaram. Os bons resultados são consequências do empenho e principalmente do sentimento de competência empregado naquilo que se faz.

Quem depende das conquistas materiais para sentir-se competente, passa a viver em função do mundo físico e torna--se displicente para com as necessidades emocionais. Em vez de você realizar o que verdadeiramente gosta e faz bem, torna-se compulsivo, altera os valores, substituindo a importância da condição interior pelos aspectos exteriores, passando a ser dominado pelo desejo de posse de objetos materiais.

MIASTENIA

Autossabotagem.

Miastenia grave é um distúrbio autoimune causado por anticorpos que impedem a fixação da acetilcolina (Ach) na musculatura. Provoca o enfraquecimento dos músculos esqueléticos, causando sua inatividade funcional, principalmente os mais ativos como o do olho.

Além do sentimento de inferioridade discorrido no tema anterior, ainda que disfarçado por uma conduta arrogante de falsa superioridade, apresentado por algumas pessoas que sofrem de miastenia, o principal componente emocional é o boicote que sofrem, não por parte dos outros, mas de si mesmas.

Boicotar-se é uma condição em que a pessoa sabe que é capaz de realizar uma determinada tarefa. No entanto, quando está em vias de execução, constrange-se perante os outros, deixando ser vencida pelo acanhamento ou medo do suposto julgamento alheio.

Por falta de consistência interior, a pessoa não se sente segura para fazer o que se propõe. Na hora de executar suas tarefas, caso não conte com o apoio dos outros, desiste. Não consegue realizar nada se não for incentivada.

A fragilidade interior causa uma dependência da aprovação dos outros, que torna ainda mais difícil qualquer atividade que a pessoa pretende desempenhar. Isso faz com que ela, em vez de recorrer aos próprios potenciais, preocupe-se excessivamente com as opiniões alheias e com os resultados que vai obter.

Para reverter esse processo interior é importante fortalecer a confiança em si mesmo, sentindo-se competente. A segurança contribui para um bom desempenho no meio em que vivemos e promove uma boa integração com as pessoas em volta, melhorando a qualidade das relações interpessoais.

DOPAMINA

Capacidade de conduzir os acontecimentos com leveza e naturalidade.

A dopamina concentra-se no encéfalo. Normalmente sua transmissão é excitatória, produzindo novos impulsos nervosos, que se propagam pelos neurônios. Esse neurotransmissor está envolvido nas respostas emocionais e nos movimentos corporais subconscientes, promovendo as respostas automáticas dos músculos esqueléticos.

Esse neurotransmissor pertence ao grupo das monoaminas que inclui a noradrenalina, adrenalina, serotonina e histamina. Portanto, os aspectos metafísicos apresentados na dopamina aplicam-se em parte a esses outros neurotransmissores. Mais adiante será feita uma apresentação de alguns fatores específicos de cada um deles.

Na concepção metafísica, existem certas semelhanças com o padrão metafísico da dopamina e do grupo das monoaminas, com a acetilcolina, vista anteriormente, no que diz respeito à atitude realizadora. Na dopamina, porém, o sentimento de aptidão imediatamente se converge em ação ou resposta automática aos acontecimentos exteriores.

Naturalmente a pessoa faz o que compete a ela, sem mistério nem dificuldades. Quem é bom numa área de atuação, faz o que lhe diz respeito com grande facilidade. Não há segredo para aquele que possui habilidades.

Para ser bem-sucedida, a pessoa precisa ser competente e dedicar-se ao que ela tem aptidão. A inclinação para certas funções equivale à vocação, que é inata, porém precisa ser aprimorada com exercícios e qualificações que se adquirem com muito empenho. A dedicação é imprescindível para tornar uma pessoa competente, consequentemente bem-sucedida. Não é possível alcançar o sucesso sem dedicação.

A vocação é um ingrediente do ser, já o aperfeiçoamento, obtido por meio de estudos teóricos e experiências práticas, angariam conteúdos do mundo exterior que, somados à aptidão, possibilitam o sucesso e a realização pessoal.

Tudo isso ocorre de maneira natural, sem grandes esforços. Envolver-se com o que se gosta, faz parte da vida, não gera desconforto e proporciona satisfação. O trabalho se torna agradável, como se fosse um entretenimento que envolve a pessoa, a ponto de ela não se dar conta, por exemplo, do tempo que passa realizando suas tarefas.

Quem vê a pessoa atuando de fora, tem a impressão de que a tarefa é exaustiva, porém aquele que tem aptidão, sente-se bem no que faz e não se desgasta tanto. Tudo fica simples e fácil para quem é hábil. Já aquele que encara o labor como um desempenho árduo e se dedica como se fosse um fardo que tivesse de carregar todos os dias, não possui os principais ingredientes para o sucesso: destreza na maneira de atuar e sensação agradável de participar dos afazeres, conhecida como amor pelo que faz.

O sucesso é um conjunto de fatores, entre os quais o prazer deve ser um estado constante durante toda a atuação. A pessoa precisa gostar do que faz. Para isso, a aptidão é fundamental, ela torna o trabalho agradável e prazeroso.

Durante o percurso para o trabalho, o indivíduo esboça a satisfação por mais um dia de atividade. A mesma disposição que tem para iniciar as funções, permanece praticamente durante todo o período de trabalho. Quando menos espera, o tempo já passou e é chegada a hora de parar. Isso ocorre por causa do envolvimento e persuasão no trabalho. Para alcançar esse estado é preciso manter-se compenetrado, não deslocar a atenção para outras atividades, enquanto se dedica aos afazeres. Por exemplo, ficar conjeturando que poderia estar num lugar agradável naquele momento, gozando de lazer, comparando com o desconforto de estar preso ao labor. Isso não leva a nada, somente ao desprazer, que interfere negativamente no desempenho das funções. Quando as horas de trabalho não passam, é porque a pessoa não está num nível de dedicação suficientemente bom. Ficar entediada por estar ali, naquele momento, fazendo algo que deixou de ser agradável, torna a atuação exaustiva.

Vale lembrar que para usufruir o melhor da vida, é necessário dar o melhor de si no que se faz. Prova disso é a necessidade de recursos financeiros que advêm do bom desempenho no trabalho.

Geralmente, a vocação manifesta-se em forma de fascínio na pessoa, por alguma área de atuação, para a qual ela possui forte inclinação ou tendência inata.

Existem alguns casos em que as pessoas mostravam-se arredias em relação a alguma área de atuação; no entanto, movidas pelas necessidades ou pela sincronicidade da vida, tiveram que se prestar a fazer aquilo que ofereciam resistência. Com o passar do tempo, descobriram seu talento exatamente naquela área de dificuldade. A superação dos obstáculos promove o sucesso. Pode-se dizer que por trás dos grandes desafios repousam os maiores talentos da pessoa. Nesse caso, vence aquele que for corajoso para enfrentar seus próprios limites e superar os seus medos.

Na vida somos assediados por atividades que nos convocam para interagir e desenvolver as aptidões. Vamos sendo norteados por oportunidades que surgem inesperadamente e por impossibilidades de atuar na rota traçada. Num determinado momento, podemos deparar com certas interrupções do que vínhamos fazendo, tais como: afastamento de um projeto, ser demitido etc. Em compensação, outras possibilidades podem aparecer, lançando-nos para uma nova direção.

Uma espécie de roda-viva nos conduz para uma direção muitas vezes impossível de ser prevista. Quando menos esperamos estamos fazendo algo que nem imaginávamos ou o que tanto sonhávamos. A verdade é que cada momento do processo está constituindo o passo seguinte; por isso, enquanto estamos desempenhando uma função, é imprescindível fazer da melhor maneira possível, para angariar conteúdos necessários ao novo curso de atuação.

Nada é em vão ou meramente passageiro. Tudo o que fazemos é importante para o nosso aprimoramento, de alguma forma, contribui para o processo existencial, quer seja diretamente, por meio do aprendizado necessário para exercer outras funções, ou para nos tornar seguros, quanto à capacidade de desempenhar qualquer tarefa.

Esse fortalecimento interior conta positivamente para o exercício de qualquer função que venhamos a exercer. Ainda que não tenhamos aprendido a desempenhar uma tarefa, o fato de nos sentirmos em condições de aprendê-la, já é de grande valor na constituição interna.

Portanto, a dopamina refere-se, metafisicamente, ao estado interior de disposição da pessoa para atuar nas situações, conduzindo os eventos agradáveis, e sentir-se merecedora do que é bom ou mesmo em condições de transformar os episódios ruins. A atitude interior de destreza e a confiança promovem o sucesso das nossas ações; também desenvolvem a competência e precisão no que fazemos.

NORADRENALINA E ADRENALINA

Predisposição para a vida e disposição para lidar com as adversidades do cotidiano.

Esses dois neurotransmissores pertencem ao grupo das monoaminas. Com os nomes de noradrenalina e adrenalina existem também dois importantes "hormônios", isto é, substâncias produzidas pelas glândulas suprarrenais, que são lançadas na corrente sanguínea[5]. Os aspectos metafísicos dos hormônios e dos neurotransmissores possuem semelhantes interpretações.

---

5. Para enriquecer os seus conhecimentos acerca da atitude metafísica desses hormônios, consulte: *Metafísica da Saúde*, volume 3, p. 97.

No tocante a esses dois neurotransmissores, eles referem-se, metafisicamente, ao sentimento de aptidão para lidar com os episódios existenciais, de maneira eficiente e bem-sucedida. Sentir-se seguro quanto à capacidade de responder às adversidades da vida, sem causar maiores prejuízos materiais nem comprometimento do estado de humor.

A noradrenalina é mais eficiente no estado de vigília, mantendo o corpo apto para as atividades diurnas. Já a adrenalina favorece a uma resposta eficiente do organismo nas situações emergenciais, como, diante de um perigo eminente, possibilita a resposta de luta ou fuga.

A confiança nos próprios atributos e na competência para lidar com os fatos inusitados ou, simplesmente, com os acontecimentos cotidianos, além de fortalecer a autoestima e proporcionar o bem-estar, propicia a propagação desses neurotransmissores.

Essa atitude diante da vida resulta em disposição durante o dia ou na vigília, visto que as ações desses neurotransmissores no organismo promovem condições adequadas para reagir nos momentos emergenciais.

SEROTONINA

Confiança e liberação.

A serotonina é um neurotransmissor que também pertence ao grupo das monoaminas. É de natureza inibitória e favorece a indução do sono e a percepção sensorial, suavizando os estímulos da dor etc.

À medida que confiamos em nós e no processo existencial, relaxamos os mecanismos de defesa e paramos de nos autoagredir. Respeitamos nossa maneira de ser e garantimos uma boa relação também com as pessoas que nos rodeiam.

Tudo flui naturalmente quando existe o respeito próprio e mútuo. Não ficamos indignados facilmente nem revoltados com os eventos exteriores. Despojados da reação mais veemente aos acontecimentos, agimos de maneira complacente, prevalecendo a harmonia interior; mesmo diante de situações turbulentas não perdemos o equilíbrio.

Para melhorar a qualidade de vida é imprescindível estar bem consigo mesmo e integrado ao ambiente, tornando a atuação existencial o mais agradável possível e extraindo o melhor dos fatos, com o mínimo de transtorno.

Assim sendo, durante a vigília somos ativos, e no momento de repouso, conseguimos uma boa qualidade de sono, digno de quem se sente vitorioso pelo que fez e no direito de gozar de um merecido descanso, ao término de um dia exaustivo.

Além da indução ao sono, que equivale a essa postura metafísica, a serotonina também suaviza os estímulos da dor. Essa condição física equivale metafisicamente a se poupar dos transtornos excessivos, não se massacrar diante de episódios ruins, e evitar que os aborrecimentos perturbem o descanso. Essas atitudes são favoráveis à presença desse neurotransmissor no organismo.

Agindo assim, além de uma boa qualidade de sono, obtém-se um anestésico natural que é produzido pelo próprio organismo.

Se você é daqueles que mergulha nos problemas e não consegue se desligar dos emaranhados, ruminando interiormente a confusão, ficando obsediado pelos próprios pensamentos, cultivando atitudes dessa natureza, você poderá reduzir a produção de serotonina, ocasionando perturbações físicas, pela falta do referido neurotransmissor. Também se predispõe à dificuldade de dormir e à persistência da dor.

Comportar-se dessa maneira é como se você tivesse uma lâmina afiada ferindo-o permanentemente; sem dar-se o direito de se recompor, sequer por alguns instantes, para angariar forças necessárias para enfrentar os problemas.

Adote atitudes metafísicas: se dê o direito de poupar-se da confusão; saiba o momento de se ausentar do problema; tenha um espaço para o seu descanso; tire uns dias para sair, talvez umas férias para viajar ou simplesmente passear; procure de alguma forma sair do cenário turbulento.

Lembre-se de que os fatos já ferem. Busque os meios para minimizar a sua dor; assim você terá uma postura condizente com a existência de serotonina no seu organismo.

HISTAMINA

Atitude afetiva.

Trata-se de um neurotransmissor do grupo das monoaminas. Age de maneira estimuladora sobre alguns órgãos. É um potente vasodilatador das pequenas artérias, principalmente do coração, aumentando a frequência cardíaca. Praticamente todos os tecidos do corpo liberam histamina quando são lesados, encontram-se inflamados ou apresentam reações alérgicas.

Metafisicamente, refere-se à nossa atitude afetiva diante das adversidades da vida. Encarar com ternura o que nos acontece representa uma condição propícia para estabelecer uma relação harmoniosa com a vida. O nosso ganho por esse ingrediente afetivo é o aumento de disposição e do vigor físico.

À medida que gostamos de algo, estimulamo-nos para nos relacionar com aquilo. O afeto é um ingrediente positivo na interação com o ambiente. Ele promove a disposição necessária para lidar com os acontecimentos existenciais, favorecendo, inclusive, a aproximação com as pessoas que nos rodeiam.

A maneira como você encara o que se passa ao seu redor, vai determinar a sua resposta aos acontecimentos. Se você encarar com ternura, terá mais serenidade; se for arredio, encontrará turbulências; se for indiferente, o acontecimento se intensifica para despertar você a interagir com o que está ao redor. Dentre essas possibilidades, a afetiva é a melhor delas: favorece a conquista dos objetivos e intensifica a satisfação de vida.

Antes de qualquer manobra existencial é viável consultar seus sentimentos em relação à situação. Se você gostar do que faz, terá mais prazer, aumentará a motivação, e também vai se satisfazer ao realizar tais atividades cotidianas. A afetividade promove inúmeros ganhos pessoais e existenciais. Além desses fatores subjetivos, o afeto promove uma série de reações no corpo. Uma delas é a influência positiva na produção de histamina.

Torne a afetividade a sua maior fonte de satisfação. Comece a apreciar o que você está realizando no momento, antes mesmo de colher os bons frutos. Não dependa dos desfechos promissores para se satisfazer, pois esses dependerão da maneira como você está atuando no presente. Busque no seu interior, principalmente no campo da afetividade, os principais ingredientes para a sua motivação. Não se baseie nas expectativas de sucesso, mas sim na satisfação de estar executando algo e por isso, ter boas perspectivas de vida. Gostar do que se faz promove o bom desempenho nas atividades e favorece a realização pessoal.

O segredo para viver bem está na nossa própria afetividade. Esse campo interior é pouco explorado por nós mesmos. Nosso afeto é uma incógnita, não sabemos como lidar com ele. Geralmente ele é favorável àquilo que é impossível no momento ou escasso na rotina diária, e arredio às necessidades. Melhor dizendo, gostamos do que não podemos fazer e não toleramos as atividades rotineiras. Um mero exemplo disso: gostamos de passear, mas não apreciamos trabalhar. Parece-nos impossível intervir nessa condição interna. No entanto, isso está mais ao nosso controle do que podemos imaginar, afinal, tudo faz parte do nosso ser.

Para despertar o afeto, faz-se necessário mudar a maneira de encarar os fatos, deixar de ser tão crítico e tornar-se maleável às necessidades. Pense: é por meio das obrigações que se conquista as possibilidades de realizar o que é bom. Os recursos para as diversões geralmente advêm do trabalho. Por tudo isso, não se queixe tanto do que é preciso fazer.

Envolva-se mais com as atividades e prestigie suas próprias ações. Focalize os pontos favoráveis do que você está realizando no momento. Desse modo você começará a despertar mais simpatia pelo que faz, melhorará seu desempenho, tornando as atividades menos exaustivas. Isso faz despontar uma pequena porção de ternura, que se for cultivada, vai se tornar uma condição afetiva favorável à função que se deve desenvolver.

Encare as obrigações como opções. Afinal elas fazem parte do que um dia você escolheu. Mediante suas opções surgiram as funções obrigatórias a serem desempenhadas. Procure encarar essas obrigações de maneira amistosa, pois, de alguma forma, elas representam as incumbências tomadas para si.

Seu trajeto de vida é composto por inúmeras atividades. Algumas delas são agradáveis, outras, no entanto, somente necessárias para seguir naquele curso. Tudo o que está no seu "caminho", porém, de alguma forma contribui para a edificação de uma jornada de sucesso.

Obviamente, é gratificante fazer o que gostamos. No entanto, aprender a gostar do que é necessário faz parte de uma importante conquista interior, fruto da mudança de foco que promove a manifestação da afetividade.

O afeto é um ingrediente importante para melhorar a qualidade de vida. Os sentimentos favoráveis às ações contribuem significativamente para a satisfação existencial, que, por sua vez, favorece a própria felicidade.

Não cultive amarguras, tampouco permita que a desesperança invada suas emoções, pois isso comprometerá o bem viver. Preserve a ternura e a docilidade. Mesmo que você não goste do que faz, procure tornar gostoso o que é necessário realizar, pois assim você terá inúmeros ganhos internos, existenciais e contribuirá metafisicamente para o equilíbrio dos níveis de histamina no seu organismo.

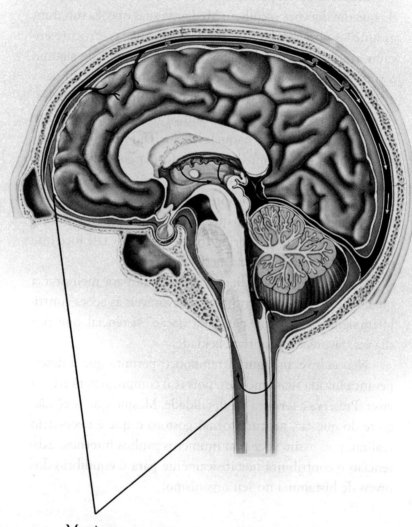

Meninges
(Vocação)

MENINGES

Aspectos de profundo valor existencial.

As meninges são revestimentos formados por tecido conjuntivo (que protege e dá sustentação) em torno do encéfalo e da medula espinhal. São formadas por três camadas denominadas *dura-máter* (a mais externa), *aracnóide* (a do meio) e *pia-máter* (a mais interna).

Entre a aracnóide e a pia-máter existe uma cavidade (espaço) onde circula o líquido cérebro-espinhal (líquor), cuja função principal é proteger e regular o meio extracelular dos neurônios.

No âmbito metafísico, as meninges estão relacionadas aos aspectos mais importantes da existência individual do ser e também aos principais desafios ou a maior área de aprendizagem e desenvolvimento na vida.

Para cada pessoa existe uma área de maior importância existencial; para alguns são as relações afetivas, enquanto para outros é a participação social, ou ainda o segmento profissional. As experiências individuais inclinam para certos setores da vida, com peculiaridades para determinada atuação.

Enquanto para alguns a expressão verbal é a tônica da sua participação no meio em que vivem; para outros, a interação é fundamental, como saber ouvir e acatar as opiniões alheias. Alguns são mais sinestésicos (gostam de ser tocados) e preferem participar ativamente dos acontecimentos; já outros são mais reservados.

Cada um tem suas características pessoais, predileções e aptidões; elas compõem a natureza íntima. Não devemos discutir as características individuais, bem como a escala de valores, pois elas são peculiaridades existenciais.

Enquanto para você algo é significativamente importante, para outros, aquilo pode não ter tanto valor. Muitas vezes seus desafios ou áreas de dificuldades, representam algo muito simples para aqueles que o cercam. Há gente com grande dificuldade de comunicação, enquanto outros possuem muita facilidade para se exporem. Portanto, o que é difícil para uns, pode ser fácil para outros. Isso demonstra a área de maior aptidão ou desafio, que cada um traz latente no seu ser, manifestando-se em forma de predileção ou mesmo de conflitos existenciais.

Muitas vezes as pessoas apresentam significativas dificuldades exatamente na área que elas têm como principal objetivo de vida. Portanto, vocação, tendências ou dificuldades em determinadas situações existenciais são indícios de áreas de maiores desafios.

Vivemos cercados de situações que nos instigam à interação, seja por meio da satisfação ou da obrigação. Os mecanismos existenciais nos convocam ou nos direcionam a lidar com certos episódios que favorecem o aprimoramento pessoal. Pode-se dizer que cada um vive cercado das experiências necessárias para o seu desenvolvimento.

Ao mesmo tempo em que é desafiador lidar com algumas situações, possuímos certas aptidões naquele mesmo setor da vida. Ainda que pareça contraditória essa colocação, ela expressa uma condição fácil de ser observada. Podemos encontrar alguém cercado por certos desafios, que depois de muito esforço para resolvê-los, reconhece possuir um talento naquela área, tornando-se inclusive bem-sucedido para lidar com o que antes resistia, como já explicado anteriormente.

A área de atuação surge de maneira problemática para alguns e agradável para outros. Isso ocorre por causa da resistência, geralmente inconsciente, para lidar com os desafios. Nesse caso a pessoa nega os obstáculos. Por outro lado, alguns são mais maleáveis, assimilando melhor a experiência, desenvolvendo uma simpatia ou aptidão para a área de desafio existencial.

Aqueles que tiverem coragem para enfrentar suas próprias dificuldades tornam-se bem-sucedidos. Uma pessoa vitoriosa é aquela que não se acovarda diante dos obstáculos impostos pela vida. O medo de enfrentar as dificuldades existe em todos, porém, alguns vencem esse medo, acionando a coragem para enfrentar os obstáculos. Esses atingem o sucesso e a realização pessoal.

Mediante essas explanações, convidamos você para fazer uma reflexão acerca do seu processo existencial. Você seria capaz de identificar a sua área de maior desafio na vida ou mesmo, a experiência mais importante para o seu ser? Em caso afirmativo, como foi ou está sendo o seu desempenho na referida área? Conseguiu superar os obstáculos, manteve-se ativo durante o desenrolar dos fatos? E, ainda, considera ter vocação ou dificuldade para lidar com a referida área?

Alguns fatores são importantes nessa reflexão. Vale lembrar que só o fato de você identificar seus próprios desafios existenciais, já representa um importante passo na condução da experiência de vida. Não fugir daquilo que o cerca, tampouco resistir aos desafios é uma atitude significativamente importante no processo existencial. Seja um vitorioso, não se recuse a fazer o que cabe exclusivamente a você. Mobilize todos os recursos a seu dispor, tais como a criatividade, a disposição física e a inteligência; use-as a serviço do seu próprio progresso e superação.

Ou você ainda não se deu conta do seu principal desafio existencial? Estaria você adormecido na autoconsciência, a ponto de não identificar a similaridade entre os episódios vividos ao longo da sua trajetória? Não atribua esse fato à casualidade, pois, quando algo se repete, é indício de que você não aprendeu suficientemente a experiência vivenciada outrora.

Quando algo se repetir, procure responder de maneira diferente do que você fez anteriormente, pois se aquele jeito tivesse sido eficiente, tais situações não se repetiriam. Afinal, se os acontecimentos são iguais, procure ser diferente na maneira como você lida com eles, evitando assim a total monotonia. Além do mais, isso aumenta a sua bagagem de experiência, aproximando-o da solução verdadeira.

Pode-se exemplificar isso da seguinte forma: os acontecimentos exteriores exigiam um posicionamento seu sobre os fatos, porém, você não tomou as decisões necessárias, optou pelo silêncio, protelou o máximo que pôde, até que as coisas acabaram se ajustando por si, sem a sua intervenção direta.

Na trajetória existencial existe um processo que favorece o encontro com situações que se assemelham àquelas vivenciadas outrora. Apesar de o contexto ser outro, os acontecimentos se parecem. É como se a vida repetisse a experiência para que você respondesse de uma nova maneira aos fatos. Não silencie nem protele, como fez outrora. Seja diferente na resposta, aja sem demora, fazendo o que cabe a si, sem depender dos outros. Pode ser que esse seja o conteúdo a ser extraído da experiência. Enquanto você não proceder dessa maneira, os fatos vão se repetir, exigindo um comportamento diferenciado ou adequado.

Para encerrar o convidamos para refletir sobre alguns aspectos que fortalecem as condições metafísicas das meninges:

Covarde é aquele que se rende pelo póprio medo. Corajoso é aquele que tem medo, mas não desiste, tampouco se deixa vencer pelos seus temores.

É preferível o fracasso de não ter conseguido à frustração por não ter tentado.

MENINGITE

Revolta por ver comprometido seus principais objetivos de vida.

A meningite é um processo inflamatório das meninges, caracterizado por cefaleia, febre, convulsão, meningismo (pescoço rígido e doloroso) etc. Os tipos mais comuns de meningites são: *bacteriana* (piogênica aguda), *viral* (aguda), *asséptica* (viral ou resposta a irritantes químicos – fármacos) e *crônica* (persiste por mais de quatro semanas, também chamada de fúngica ou tuberculosa).

De acordo com a visão metafísica devemos considerar que a vida nos reserva surpresas desagradáveis. Dentre elas, existem algumas que nos afetam profundamente, por estarem relacionadas ao que é de fundamental importância para o nosso ser.

Deparar com esses eventos ruins é praticamente inevitável. Se por um lado não temos o poder de evitar o surgimento de tais situações, por outro possuímos um poder para minimizar ou até mesmo sanar essa problemática existencial.

No entanto, existe algo extremamente nocivo a essa força reativa, que é a revolta. Quando a pessoa fica revoltada pelos eventos avassaladores da vida, ela compromete seu poder, reduz sua força, diminuindo a chance de superar os obstáculos.

Metafisicamente, a revolta da pessoa, por ter sido surpreendida por eventos extremamente dolorosos, figura entre a principal causa da manifestação da meningite. Esse quadro interior atrai o contato com os agentes desencadeadores da doença e, ao mesmo tempo, enfraquece o sistema imunológico, possibilitando o contágio e a manifestação da meningite.

A revolta dispersa a força agressiva, prejudicando a capacidade realizadora. Quando a pessoa fica revoltada, perde o senso dosador da sua expressão. Explode quando deveria ponderar ou poupar-se e fica inerte quando mais precisaria agir.

Ficar revoltado não ajuda em nada, ao contrário, só atrapalha. Por pior que sejam os fatos, a revolta não vai minimizar a gravidade dos acontecimentos, somente reduzirá a eficiência da reação, desperdiçando a capacidade realizadora do indivíduo.

Num primeiro momento é compreensivo que a pessoa fique indignada com certos acontecimentos. No entanto, sua indignação não pode se estender por longo período de tempo, pois isso gera turbulências interiores, passando a ser um estado perturbador para a própria pessoa e também para o ambiente ao seu redor.

Inicialmente, zangar-se com os fatos ruins é praticamente inevitável, visto que somos humanos e, como tais, repletos de fortes emoções. Por esse motivo, quando deparamos com as surpresas desagradáveis, imediatamente reagimos com indignação. A irritação faz parte da nossa força reativa. Ela é uma espécie de ignição da força agressiva, mobilizando a capacidade de responder veementemente à realidade, para minimizar os desconfortos.

O que não deve acontecer é tornar crônico esse estado de irritabilidade, ou seja, permanecer frustrado por não conseguir mudar imediatamente os fatos. Em se tratando de ocorrências altamente problemáticas da vida, a solução costuma ser demorada. Existem certos eventos que não são resolvidos de uma hora para a outra. Geralmente, se requer um tempo para estabilizar algumas confusões existenciais. É importante a pessoa ter certa paciência e saber dar tempo ao tempo.

No entanto, existem certas ocorrências que afetam diretamente a pessoa, por se tratar de algo de profundo valor existencial. Nesse caso, a indignação permanece, estendendo-se por longo período de tempo. Essa revolta crônica prejudica a qualidade de vida, podendo, inclusive, comprometer a saúde, com o surgimento, por exemplo, da meningite.

Esse processo interior diante das situações existenciais fica facilmente compreensível e coerente em se tratando de uma pessoa adulta que contrai essa doença. No entanto, existe um elevado número de crianças e até bebês, que são afetados pela meningite. Os aspectos metafísicos aplicados a eles são basicamente os mesmos.

Em qualquer fase da vida existe uma interação do sujeito com o ambiente. Até o bebê responde de alguma maneira aos estímulos provenientes do meio exterior. Desse modo, ele vai construindo esquemas que compõem o universo interior.

Segundo alguns teóricos do interacionismo, como Piaget (1967) e Vygotsky[6], a construção do conhecimento se dá por meio da interação do sujeito com o ambiente e também pelo desenvolvimento de estruturas de pensamento.

---

6. Apud Oliveira, 1999.

Para Vygotsky[7] por exemplo, os fatores do ambiente, tais como o comportamento das pessoas ao redor, bem como os objetos oferecidos à criança, são imprescindíveis para o seu desenvolvimento e representam mediadores externos, que favorecem o aprendizado. Segundo o autor, o pensamento surge após a linguagem; antes disso não existe a mediação, ou seja, a relação do bebê com os eventos exteriores é direta e não mediada.

Para Piaget, o desenvolvimento depende mais dos elementos internos do que dos fatores externos. Segundo ele, para o bebê interagir com os estímulos do ambiente, é preciso que eles existam em estruturas previamente desenvolvidas, a fim de que ele consiga construir novos esquemas de conhecimentos. Piaget considera existir uma forma de inteligência na primeira fase da vida do bebê, do nascimento aos dois anos de vida, inteligência esta chamada de sensório-motor ou prática.

Na visão metafísica é como se já houvesse uma inclinação inata do bebê para certas áreas da vida. Isso se evidenciará na trajetória de vida desse ser, quando ele for adulto. Ainda bebê, quando ocorrem situações conflituosas no ambiente em que ele vive relacionadas àquela área de maior experiência, é como se fosse o seu primeiro "tropeço" existencial, mesmo que a situação não seja causada por ele, mas sim, por algum integrante da família. Mesmo a criança sendo apenas uma espectadora de ocorrências desagradáveis, aquilo a afeta profundamente, acionando mecanismos característicos e provocando um alto nível de irritabilidade durante o período de crise familiar ou financeira do grupo.

Na ocasião em que uma criança sofre de meningite, se investigarmos em torno dela, na família, por exemplo, facilmente

---

7. Vygotsky (1896-1934). Professor e pesquisador contemporâneo de Piaget.

encontraremos acontecimentos desagradáveis marcantes, afetando um ou mais integrantes. Características semelhantes àqueles fatos, poderão ser comparadas à vida adulta daquela criança. Depois de superar a doença, crescer e se tornar um adulto, provavelmente existirão desafios equivalentes àqueles da infância, quando manifestou a meningite.

Portanto, quando uma criança tiver com meningite, a atitude das pessoas ao redor (os pais) deverá ser de amenizar os abalos emocionais causados pelos acontecimentos desagradáveis e transmitir serenidade, para diminuir prováveis revoltas que ela esteja sentindo, acalentando-a e lhe proporcionando paz, segurança e confiança na vida.

Cérebro
(Mente)

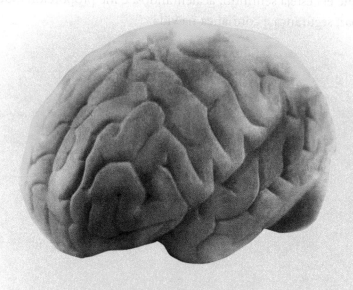

CÉREBRO

Universo mental.
Pensamentos e comportamentos.

O cérebro é constituído por duas regiões: *diencéfalo* e *telencéfalo*. O diencéfalo também é chamado de tronco encefálico. Nele estão localizadas duas estruturas, chamadas tálamo e hipotálamo. O telencéfalo ocupa a maior parte do crânio, formando o maior volume encefálico. A superfície do telencéfalo é composta por uma fina camada de substância cinzenta, denominada córtex cerebral. Mais abaixo, existem as substâncias brancas, formadas por axônios (composto pelos núcleos de neurônios). O telencéfalo é dividido pelos hemisférios direito e esquerdo.

O cérebro é responsável principalmente pela identificação discriminatória e integração de informações sensoriais e pelo uso da memória, do raciocínio, da linguagem, do estado emocional e da iniciação de movimentos. É a sede da inteligência, dando-nos a capacidade de ler, escrever, falar, lembrar o passado, planejar o futuro, imaginar coisas que nunca existiram etc.

O principal desafio da ciência neural é o de compreender como o cérebro produz a notável individualidade humana, definida pelos pensamentos[8] e emoções[9]. Apesar de a unidade básica do cérebro ser bastante simples, ele é capaz de produzir comportamentos altamente complexos; interpretar as ocorrências do próprio corpo ou do ambiente ao redor etc. Isso é

---
8. Pensamento: formação do mundo interior.
9. Emoção: força interna que move o indivíduo para as ações.

possível graças ao extraordinário número de células nervosas que se comunicam entre si por meio de interconexões neurais.

Com o mapeamento cerebral, a ciência desvendou alguns aspectos do funcionamento desse misterioso órgão do corpo humano, que praticamente define a condição da vida orgânica, possibilitando a manifestação do ser na vida. A formulação do pensamento e a manifestação do comportamento basicamente sintetizam a existência humana.

Segundo o neuropsicólogo soviético Aleksandr R. Luria (1973), é possível compreender, por meio dos estudos das relações entre o cérebro e o comportamento, o que faz do homem um ser humano. A conduta humana resulta da interação entre as áreas cerebrais. Para Luria, o cérebro contém sistemas individuais, que trabalham de modo integrado, fornecendo as condições para operacionalizar as atividades do pensamento.

O cérebro não funciona isoladamente. Além das diversas áreas cerebrais que atuam em conjunto, ele integra também algumas estruturas encefálicas, tais como o corpo caloso, o tronco encefálico, o córtex cerebral e outros. Graças a essa interligação, surge a manifestação do pensamento, por meio do qual ocorrem a percepção do eu, a identificação do mundo exterior e a iniciação dos movimentos.

O pensamento é um ato intelectual, associado ao processamento e à compreensão simultânea das mais variadas informações sensoriais. Ele faz suas operações sem a presença do objeto; pode realizar, por exemplo, uma equação sem que a pessoa esteja vendo os números; é capaz de imaginar uma situação que não existe, antever um acontecimento etc.

Possui a capacidade de focalizar espontaneamente a atenção em assuntos variados, direcionando a mente para diferentes situações. Enquanto a pessoa está pensando em algo, simultaneamente ocorrem vários outros pensamentos em sua mente. No cérebro são formados conceitos que organizam o mundo interior. Resolve problemas, toma decisões eficientes e efetua julgamentos. É um produto do intelecto que fornece conteúdo para a constituição do universo mental.

É praticamente impossível distinguir a mente do pensamento, visto que um está integrado ao outro. Eles formam um conjunto, por meio do qual se manifesta a consciência. No senso comum, eles são citados como sinônimos. Mas em linhas gerais, a mente reúne as faculdades interiores, dando a noção de individualidade. É a maneira de ser de um indivíduo, o jeito de ele se comportar diante do mundo. É capaz de distinguir os sentimentos dos desejos ou das vontades. A mente foi amplamente descrita no capítulo 1, volume 1, da série *Metafísica da Saúde*.

No tocante ao pensamento, ele representa a manifestação da intenção, das vontades, bem como a elaboração de estratégias de atuação na vida. Tanto o planejamento quanto a execução dos movimentos resultam em comportamentos. Portanto, o ato de pensar move estruturas psíquicas, acionando ondas cerebrais que percorrem vários caminhos de fibras nervosas até atingirem as áreas do corpo relacionadas aos movimentos almejados.

Assim sendo, a postura não é apenas física, mas também remete a uma atividade mental. Antes de ele se tornar observável por meio dos movimentos corporais há uma grande elaboração interior, sem a qual, torna-se impossível comportar-se. Portanto, os pensamentos originam as ondas cerebrais que promovem os movimentos, gerando as condutas frente ao meio externo, surgindo, por meio desses processos, a consciência.

De acordo com o behaviorismo (abordagem psicológica comportamentalista) o comportamento de uma pessoa exprime o que ela sente. Ou seja, o que a pessoa sente está na maneira como ela se comporta no meio em que vive.

Em linhas gerais, esses dois componentes (comportamento e sentimento) estão intimamente ligados, são praticamente indivisíveis. Se a pessoa sente algo, ela vai se comportar de acordo com esse sentimento. Portanto, as condutas são espécies de visor dos sentimentos, trazendo à luz da consciência o que existe na alma. Os sentimentos, por sua vez, representam uma espécie de fonte geradora da maneira como a pessoa se comporta no ambiente.

No entanto, existem aspectos específicos entre um e outro: o sentimento, por exemplo, não pode ser controlado total e conscientemente. Ele pertence à essência do ser, cuja manifestação ocorre praticamente alheia à vontade consciente. Pode-se dizer que não temos controle direto sobre o que sentimos. O mesmo ocorre com os estímulos aversivos; geralmente eles surgem espontaneamente: somos impelidos a não gostar de uma pessoa, algumas vezes sem que ela nos tenha dado motivo.

Todos somos dotados de sentimentos bons, como o amor; e ruins, como ódio; florescerão apenas aqueles que cultivarmos em nossa mente, por meio dos pensamentos e pela conduta de vida.

Um velho índio descreveu certa vez os seus conflitos internos da seguinte forma: "dentro de mim existem dois cachorros, um deles é cruel e mau, o outro é muito bom e dócil. Eles estão sempre a brigar...". Quando, então lhe perguntaram qual dos cachorros ganharia a briga, o sábio índio parou, refletiu e respondeu: "Aquele que eu alimentar".

Pode-se dizer que existe em nosso ser uma infinidade de sentimentos, alguns positivos, outros negativos. Muitos deles emergem na mente, porém, permanecerão ativos apenas aqueles que dermos importância e pensarmos com frequência.

Como vimos anteriormente, não podemos intervir diretamente sobre o que sentimos. Por outro lado, é possível obter certo controle sobre as nossas reações, cultivando pensamentos que influenciam a manifestação ou inibição de um sentimento.

Apesar de o comportamento estar à mercê dos sentimentos, ele também responde às vontades e aos desejos intensos. O interesse demasiado por algo, possibilita-nos exercer certo controle sobre a nossa conduta. Por sua vez, esse novo procedimento surtirá efeito sobre nossos próprios sentimentos. Podemos começar a gostar do que inicialmente era uma mera curiosidade ou não passava de empolgação.

Resumindo, escolhemos a maneira como vamos nos comportar diante de uma situação ou perante as pessoas que nos cercam. Por meio de uma nova conduta podemos intervir nos mais caros sentimentos. Isso nos possibilita tanto alterar um sentimento, quanto fortalecê-lo.

Se nos comportarmos de determinada maneira, fortaleceremos o sentimento que está por trás daquele nosso jeito de ser. Se nos comportarmos de forma a evitar uma pessoa querida, por exemplo, com o tempo, podemos não gostar mais dela. Já quando nos mobilizamos em prol de alguém, esse gesto pode despertar a afetividade.

No entanto, se não existir o mínimo de reciprocidade por parte de quem ajudamos, essa falta de reconhecimento esgota os nossos esforços, comprometendo o que sentimos.

Parece haver um contra-senso nisso, porém é fato passivo de constatação na experiência de vida: por gostar de alguém, mobilizamos nossos esforços para favorecer a quem queremos bem. Mas a falta de reconhecimento ou descaso pelo que é feito, altera o sentimento e o amor pode acabar.

Isso acontece com relativa frequência nos relacionamentos. As pessoas que se gostam unem suas forças em prol de um mesmo ideal. Mas se não houver reciprocidade na relação e consideração pelas ações em conjunto, facilmente uma das partes começa a se acomodar, enquanto a outra passa a sentir-se esgotada ou até mesmo explorada, comprometendo a vontade de participar da vida da outra.

Assim sendo, o que nutri e fortalece os sentimentos se não for bem compartilhado com o verdadeiro espírito de troca, poderá se transformar em agente de desafeto.

As condutas adotadas para com os outros, não são fatores determinantes sobre o que sentimos, mas representam um recurso para atingirmos os conteúdos afetivos. Além do mais é uma maneira eficiente de realizarmos um trabalho interior, que objetiva atingir os sentimentos.

Os pensamentos ocorrem na esfera psíquica. Eles permitem modelar o nosso mundo interno. A mente organiza o que pensamos e, por sua vez, conduz os sentimentos. Ela representa uma espécie de "porta" para a afetividade.

Pode-se dizer que os pensamentos tanto refletem os sentimentos, quanto despertam a ternura. Zelar pelo que pensamos é uma maneira de exercer o poder de escolha que influencia sobre o que iremos sentir.

Caso um sentimento seja bom, vale a pena manter as lembranças agradáveis, isso o intensifica. No entanto, se existir um mau presságio, evite pensar muito a respeito, isso vai aumentar o seu temor.

O universo mental é composto basicamente pelos conteúdos afetivos e pelas experiências vivenciadas no ambiente externo. Esses dois fatores são mediados pelos pensamentos. O que sentimos e o jeito que encaramos os eventos externos, são fatores de grande influência sobre o que vamos pensar. Portanto, o afeto e a realidade são duas fontes geradoras de pensamentos. Entre os dois, os fatores externos ou as experiências sensoriais, causadas pelas nossas ações no meio, são mais significativos do que a afetividade.

Do mesmo modo que o amor é o principal ingrediente para estabelecer a convivência, o próprio relacionamento aquece o sentimento. E os pensamentos estão integrando esses dois níveis. A maneira como se pensa, tanto acerca do que se sente, quanto do que acontece, favorecerá ou dificultará a integração desses dois níveis. É preciso ter uma "boa cabeça" para ser feliz no amor e estabelecer relações saudáveis, promovendo convivências harmoniosas.

O relacionamento requer flexibilidade; sem isso não há interação. Cada um tem suas características e, durante a convivência, essas diferenças podem tornar-se obstáculos se não houver boa vontade de ambas as partes para ceder e assim preservar uma relação amistosa. Um bom nível de troca existe quando cada um cede um pouco ou num determinado aspecto. Mas quando somente uma das partes tem de ceder, ela estará se anulando. A omissão tira o "sabor" da convivência e causa prejuízos à felicidade. Afinal, não é possível ser feliz sufocando a expressão!

Também não é possível conviver bem com pessoas sistemáticas e inflexíveis. Elas costumam ser exclusivistas e isso sufoca quem está ao lado delas e desgasta o sentimento, prejudicando a relação.

Por outro lado, o controle excessivo do comportamento pode mascarar alguns sentimentos, pois quando existe afeto que não pode ser expresso, ele fica reprimido; em se tratando de antipatia, a não aceitação desse sentimento, promove a negação. Esses estados no senso comum são considerados falsidades.

Não se pode negar, tampouco mascarar uma condição interna. Ainda que o propósito seja a conciliação, não se deve recusar a existência de um temperamento, desse modo os esforços para transformá-lo serão em vão. Faz-se necessária a realização de um trabalho interior de aprimoramento das atitudes, isso não pode ser feito com negação, mas sim com empenho em promover condutas diferenciadas, em vez de intensificar os sentimentos ruins.

Como vimos anteriormente, a modificação de um sentimento dá-se por meio do cultivo de novos pensamentos; mudança da visão de mundo e reformulação da maneira de encarar os fatos.

Nem sempre os sentimentos são devidamente trabalhados, existem situações que não são revertidas. Por mais que se dedique a fazer uma reciclagem dos sentimentos, nem sempre isso é possível. Quando um conteúdo afetivo não é transformado e a pessoa insiste em agradar o outro, a convivência torna-se desagradável. Insistir numa conduta conciliadora intensifica as máscaras e distancia as pessoas das verdades interiores.

Há uma tênue linha divisória entre as atitudes conciliadoras e a repressão dos sentimentos. Até certo ponto, a dedicação é saudável para reforçar sentimentos de ternura ou transformar os sentimentos ruins. Existem, porém, os exageros que extrapolam a participação na vida do outro, gerando reações desconfortáveis por parte de quem é ajudado e/ou sentimentos de intolerância de quem ajuda.

* * *

Como a relação entre o pensamento e o sentimento passa pela esfera do comportamento, torna-se indispensável compreender como ele é constituído.

O comportamento pode ser definido como um conjunto de reações de um sistema dinâmico, desenvolvido como um ato de interação com o ambiente exterior. Alguns são *apreendidos* e outros, *gerados pelos próprios sentimentos*.

As condutas apreendidas são as que atendem as regras da boa convivência com o ambiente. Elas são passadas de um para o outro, algumas vezes de geração a geração, especificando o que deve ser feito ou não, diante das pessoas. A maneira correta de se proceder no grupo. Incluem-se as regras e etiquetas sociais, que visam atender as condutas adequadas de socialização.

Esses tipos de comportamentos priorizam as questões externas, desconsiderando as expressões pessoais. Contanto que se comporte bem perante os outros, não importa o que se está sentindo.

Contrapondo-se a esse comportamento, existem os que são gerados pelos próprios sentimentos. Eles visam expressar os mais íntimos sentimentos. Quando há amor, a conduta é de aproximação. Já os desafetos promovem distanciamento.

Essa é uma sequência natural do ser, em que os sentimentos norteiam os comportamentos. Adotar esse estilo de vida, de forma a agir predominantemente de acordo com o que se sente e não se deixar contaminar tanto com as conveniências exteriores, representa ser verdadeiro para consigo mesmo. Respeitar o que somos e não meramente servir aos interesses dos outros. Desse modo, o sentido da vida é obtido com base nos conteúdos internos, e não calcado nos valores externos.

A satisfação obtida pela dedicação àquilo que verdadeiramente sentimos é maior do que a mobilização dos esforços para agradar os outros. Viver em função do meio externo é negligenciar a realidade interna.

Em vez de aprender a corresponder com as expectativas feitas sobre nós, procuremos desenvolver as habilidades de procedimentos adequados aos nossos próprios sentimentos. Desse modo, estaremos nos empenhando para conquistar a realização pessoal. Não adianta simplesmente ter uma boa imagem social, se não nos sentirmos bem diante dos outros. Mais vale a boa condição interna, do que os comentários favoráveis feitos a nosso respeito.

* * *

Para a elaboração do pensamento é necessário existirem as faculdades cognitivas (capacidade de aprendizagem, registro e processamento das informações recebidas). Elas permitem tanto a construção do raciocínio quanto a interação com o ambiente, que ocorre por meio dos órgãos dos sentidos.

Eles fornecem informações auditivas, visuais, táteis etc., que são devidamente processadas pela mente, que utiliza-se dos registros anteriores para identificar os sinais recebidos no momento presente, dando referência ao que se passa no exterior. Desse modo, surgem também os pensamentos, seguidos dos comportamentos, que, por sua vez, visam responder de maneira coerente aos episódios do meio.

As faculdades intelectuais são imprescindíveis para a elaboração dos pensamentos e a interação com o mundo. A ausência delas prejudica a construção do conhecimento e inviabiliza a manifestação das qualidades inerentes ao ser humano.

Metafisicamente, a capacidade intelectual está relacionada com o propósito de interação do indivíduo com o meio em que ele vive, a cumplicidade com os acontecimentos e a determinação em promover mudanças no contexto.

A maneira como nos interessamos pelo que se passa ao nosso redor e a disposição em agir colaboram no processamento das informações provenientes do meio em que vivemos.

Pode-se dizer que quanto maior a atitude de se inteirar dos acontecimentos, melhor a aptidão para assimilar os fatos. Já, a opção por ficar alheio aos acontecimentos, prejudica a capacidade de aprendizagem. A alienação nada mais é do que a falta de entusiasmo para participar e/ou conduzir as situações existenciais.

* * *

Outro fator importante para a elaboração do pensamento é a linguagem. Ela é indispensável para formular as estratégias mentais, favorecendo a comunicação.

Com o surgimento da linguagem, tornou-se possível a comunicação entre as pessoas. Isso possibilitou a propagação das experiências entre elas, favorecendo a vida dos componentes de um grupo.

Quando se consegue sintetizar em palavras o que aprendemos com as vivências, é possível transmitirmos os conhecimentos aos outros, minimizando possíveis transtornos ocasionados pelos elementos surpresa ou pela falta de conhecimento.

A linguagem está intrinsecamente relacionada à formação de símbolos. Graças à extraordinária capacidade humana de dar significado e de interpretar as experiências sensoriais, é possível tanto a comunicação entre as pessoas, como também a construção interior do conhecimento. Isso ocorre principalmente por meio da formulação do pensamento.

Basicamente, pensar é formular conceitos que favorecem a organização interna, o julgamento, a tomada de decisões e a busca de soluções para alguma problemática existencial. O pensamento é um ato intelectual, é a atividade mental associada ao processamento e à compreensão das informações sensoriais, sem se fixar em nenhum objeto determinado. Refere-se à extraordinária atividade interna, que envolve a atenção, concentração e organização mental.

PARKINSON

Excesso de poder e autoridade.

A doença de Parkinson é um distúrbio neurodegenerativo crônico que pode causar significativa incapacidade motora. Os primeiros sinais e sintomas habitualmente aparecem na meia-idade, prevalecendo aceleradamente na idade acima de 65 anos.

Os sintomas clássicos que praticamente definem a doença são três: *tremor, lentidão dos movimentos* e *rigidez muscular*.

O mais óbvio dentre eles é o tremor, ele ocorre nas extremidades do corpo durante períodos de repouso, podendo espalhar-se para os braços.

A lentidão progressiva das funções motoras, provoca diminuição do balanço dos braços ao caminhar, redução da marcha, reações diminuídas e pouca habilidade em virar o corpo. Imobilidade facial (perda das expressões fisionômicas). Também afeta a escrita, reduzindo o tamanho das letras.

Por fim, a rigidez progressiva dos músculos do corpo, provoca a imobilidade dos movimentos, ocasionando uma postura inclinada.

O objetivo dessa abordagem metafísica não é exatamente o de promover a cura para os parkinsonianos, mas sim dar a eles um recurso interior que favoreça a preservação da sanidade e oferecer à família uma consciência a respeito do que levou seu ente querido a sofrer esse mal. Não se trata de um infortúnio que aleatoriamente vitimou a pessoa, mas uma atitude cultivada ao longo da trajetória de vida. Por fim, todos os que consultarem esta obra obterão um importante recurso para reflexão a respeito da maneira como eles próprios estão lidando com o seu poder, tanto sobre si mesmos, quanto nas situações exteriores.

Isso se aplica aos demais temas da obra. Ela não foi feita exclusivamente para o doente, mas também para promover a qualidade de vida, por meio do bom desempenho da pessoa na realidade em que ela vive.

No tocante ao mal de Parkinson, trata-se de uma conduta de vida muito acirrada, no que diz respeito à maneira como a pessoa atuou nas conquistas, bem como no exercício do poder. Geralmente são pessoas que ocupam posição de destaque no que fazem e/ou na família. São extremamente hábeis nas suas atuações, conquistando um poder de liderança, inclusive sobre aqueles que as cercam.

O histórico de vida de uma pessoa que sofre a doença de Parkinson, frequentemente é repleto de conquistas e recheado de sucesso, em especial, na carreira profissional, pois seu grande empenho proporcionou-lhe inúmeras vitórias, que a colocou numa condição de destaque. Enquanto membro da família, seu desempenho foi notável, facilmente assumindo as incumbências dos entes queridos, tornando-se o esteio familiar.

Geralmente são pessoas que se destacavam pela eficiência e capacidade de gerenciar as condições de vida para obter os fins desejados. Não apresentavam problemas de comando, lideravam com grande facilidade.

Em alguns momentos tornavam-se indesejáveis, por tomar a frente da situação e realizar com muita competência o que dizia respeito aos outros. Isso provocava certa frustração, sufocando as pessoas que as rodeavam, pois monopolizavam as funções, não delegando aos outros algumas incumbências que possibilitariam melhor integração do grupo. O fato de manterem tudo centralizado sob seu poder, fazia-nas sobrecarregarem-se de funções, extrapolando os limites de atuação.

Para sanar as problemáticas, poupar os outros dos desconfortos e garantir o bom andamento das situações, assumiam exagerado domínio sobre diversas funções. Com isso não sobrava tempo para cuidarem de si e realizarem suas próprias tarefas. O maior prejudicado por essa postura de liderança excessiva geralmente é o próprio indivíduo, que compromete o andamento de suas tarefas, sobrecarregando-se de atividades.

A busca pela eficiência e a necessidade de exercer domínio sobre as ocorrências ao redor tornam a pessoa extremamente eficiente. Mas displicente para consigo no tocante a sua vida pessoal, comprometendo a disponibilidade para lidar com os seus próprios problemas. A pessoa fica tão envolvida com seus afazeres, que não se dá conta do quanto está omissa na sua vida afetiva ou nas necessidades pessoais e dos transtornos que esse distanciamento poderá acarretar-lhe no futuro.

A intensidade com que se dedica ao trabalho, por exemplo, promoveu habilidades para lidar com as tarefas, facultando-lhe a conquista da liderança perante aqueles que a cercam. Se por um lado sua eficiência proporcionou-lhe o poder, por outro, faltou-lhe o controle sobre sua intimidade. A prática de um *hobby*, por exemplo, nunca foi algo evidente na vida dessa pessoa, que viveu tão empenhada em outros objetivos, que não conseguiu espaço para cultivar o que lhe proporcionava prazer.

Quando o poder extrapola os limites da pessoa, levando-a ao excessivo domínio das situações exteriores, isso prova a falta de confiança em si mesma. Isso é indício de que a pessoa não se sente verdadeiramente na posse do que a cerca. Teme pela perda de controle e falta de direcionamento dos eventos exteriores. São pessoas que não sabem lidar com a impotência diante dos fatos. Ficam perturbadas quando não conseguem dominar os eventos exteriores. Não sabem lidar com a perda do poder.

É comum a doença surgir após o afastamento de alguma situação importante. Essa perda é acompanhada de grande abalo emocional, que deixa a pessoa transtornada e sem conseguir elaborar essa saída de cena ou perda do comando. Após um breve período desses eventos traumatizantes, pode ocorrer a manifestação da doença.

Geralmente os parkinsonianos foram pessoas que durante a vida contavam consigo mesmas, não tinham ninguém para se apoiar nem alguém que representasse um apoio emocional. Isso fez com que se tornassem exímias no que faziam, para estabelecer suas bases de segurança nos bons resultados conquistados.

Sentiam-se seguras quando tinham o controle das situações. Já, ao se verem na eminência de perder a coordenação dos acontecimentos, ficavam apavoradas ante a incapacidade de supremo domínio dos fatos. A simples hipótese de depender de alguém, de ficar à mercê do acaso ou impossibilitada de agir causava-lhes profundo abalo emocional. Essa condição interior moveu suas ações durante toda a vida, tornando-as bem-sucedidas naquilo que fizeram.

Mas isso, também, levou-as a ficar dependentes do poder e com a necessidade de controle sobre tudo a sua volta. Por um lado, essa condição contribuiu para seu aprimoramento, por outro gerou a necessidade de liderança e, em alguns casos, tornou-as perturbadas pelo medo de não serem capazes de conduzir os acontecimentos.

Com as decepções causadas, por exemplo, pela perda do comando, situação comum que precede o surgimento da doença, não tiveram suporte interior para ficar à mercê dos outros ou de alguns aspectos exteriores. Pode-se dizer que o que mais temiam, a perda do controle das situações existenciais, acabou sendo inevitável. Pior ainda, com o surgimento do Parkinson, depararam com as limitações físicas impostas pela doença. E, o que mais tentaram evitar, tornou-se uma realidade existencial e principalmente orgânica.

Os sinais clínicos tais como instabilidade de postura corporal e falta de coordenação motora, que dificultam desde as ações mais simples, como pegar um copo, abotoar a camisa, até a perda da locomoção, nos estágios mais avançados, representam um grande contra-senso, pois, de certa forma, foi tudo o que essas pessoas mais tentaram evitar, durante toda a sua trajetória existencial. Agora, veem-se fadadas à total perda da identidade, da independência e da falta de controle, não só das situações externas, como também da postura corporal.

Durante o período em que se mantiveram ativas, essas pessoas exercitaram a habilidade de execução, liderança e poder. Tornaram-se exímias realizadoras. Não tiveram tempo de observar meticulosamente as pessoas que as cercavam, tais como, os seus familiares ou os seus liderados. As características e necessidades dos outros passaram praticamente desapercebidas. Tinham até certa dificuldade de delegar o poder aos outros, pois como eram muito hábeis, não toleravam os limites dos seus colaboradores.

Nunca deram muita abertura para as pessoas participarem da sua vida. Como boas realizadoras, não sabiam lidar com a participação e colaboração dos outros. Sempre deram o melhor de si, mas não sabiam receber o que os outros tinham para lhes dar.

Outra dificuldade dessas pessoas era delegar funções ou poder aos outros. Monopolizavam as ações, considerando qualquer ajuda praticamente insignificante. Tinham dificuldades em admitir o potencial alheio. Não saíam da sua posição de profundas conhecedoras, para ensinarem alguém que estava começando a aprender.

Com o surgimento da doença, a pessoa precisa aprender a aceitar a colaboração dos outros. Isso possibilita desenvolver o respeito aos limites dos colaboradores. Durante praticamente toda sua existência, ela desenvolveu a arte de realizar, agora precisa desenvolver a arte de aceitar a participação daqueles que estão a sua volta, até mesmo para os próprios movimentos corporais. O aprendizado de aceitar a colaboração dos outros promove o enriquecimento da bagagem de vida. A somatória dos recursos da eficiência e da qualidade de ser permissiva aos outros, aprimora sua interação com o meio em que vive.

Por fim, vale lembrar que o verdadeiro poder não é esse que foi explanado anteriormente e foi praticado pelas pessoas que vieram a somatizar a doença de Parkinson.

O real poder é o exercido sobre si mesmo, com a qualidade de se autoprogramar. Ou seja, decidir de acordo com as próprias condições internas e não induzido pelas tendências externas. É fazer aquilo que cabe a si, sem se importar tanto com a impressão que aquele gesto vai causar nas pessoas ao redor. É agir com competência, tendo condições de se "bancar", mesmo que os resultados não sejam promissores, tendo a consciência de que valeu a tentativa.

O exercício da liderança tem algumas peculiaridades. Basicamente, existem três tipos de líderes: *autocratas, democratas* e *anarquistas*.

A liderança autocrática é exercida sem levar em consideração os pontos de vista alheios. Não se consulta a equipe para tomar as decisões que implicam na atuação de todos; simplesmente é imposto ao grupo o que deve ser realizado por eles. A curto espaço de tempo, esse tipo de liderança promove bons resultados, a equipe obedece e cumpre o estabelecido. Se o perfil dos liderados não for de uma equipe qualificada, mas sim temporária, contratada para desenvolver um breve trabalho, um líder autocrata consegue extrair da equipe uma excelente produção.

Mas em se tratando de uma equipe qualificada ou mesmo uma equipe de trabalho permanente, esse tipo de liderança gera revolta e movimentos de boicote. Melhor dizendo, a longo prazo, a liderança autocrata não produz bons resultados. Os resultados obtidos pela equipe são de baixa qualidade.

A liderança democrática é aquela em que são levantadas as opiniões dos liderados, em que se busca praticamente um consenso do grupo, antes de se tomar qualquer decisão pertinente ao andamento das atividades.

Um líder democrático considera o potencial de cada integrante da equipe, promovendo o bom desempenho do grupo. Aproveita da melhor maneira possível a habilidade de cada um, destacando-o para certas funções que mais condizem ao perfil do funcionário. Considera a experiência e proximidade das pessoas com as tarefas em questão, para que, assim, possa tomar um posicionamento adequado à condição do grupo, viabilizando os recursos humanos e materiais para obter sucesso.

Esse tipo de liderança, a curto espaço de tempo, não é a maneira mais produtiva. No entanto, a longo prazo, consegue extrair o melhor da equipe. Os funcionários trabalham satisfeitos, melhorando sua qualidade de vida.

Por fim, a liderança anárquica é aquela que se delega o poder de decisão a cada integrante da equipe. Não são tomadas decisões a respeito da atividade de cada integrante da equipe. Cada um procede de acordo com seu senso próprio. Os objetivos em comum precisam ser alcançados, cabendo a todos uma atuação independente, de maneira que venha a colaborar com as diretrizes em comum.

Esse tipo de líder é aquele que levanta as questões entre o grupo e permite que cada integrante participe, fazendo o que compete a si. Ele não toma decisões, delega ao grupo essa competência. Esse tipo de liderança só se aplica a algumas atividades, principalmente quando a equipe é extremamente especializada. Nesse caso, a coordenação do líder é apenas averiguar o andamento dos trabalhos.

De outra forma, a liderança anárquica representa falta de posicionamento do líder perante o grupo. Essa conduta demonstra insegurança, promovendo o desrespeito da equipe e o enfraquecimento do grupo.

As pessoas afetadas pela doença de Parkinson, geralmente exerceram uma liderança autocrata. Não souberam delegar aos outros algumas funções que não eram de sua competência. Pode-se dizer que o que cabia aos outros, foi integralmente assumido por elas próprias. Esse excesso de poder, além de acarretar muito estresse no exercício da profissão, compromete a qualidade de vida, prejudicando o desempenho familiar. Um dos maiores prejuízos existenciais foi a perda do poder de ser si mesmas e a incapacidade de conduzir a vida de acordo com seus próprios conteúdos interiores e afetivos.

ALZHEIMER E/OU DEMÊNCIA

Durante a vida não conquistou o seu espaço no ambiente.

A doença de Alzheimer é a causa mais comum de demência no idoso. É uma doença degenerativa que afeta o cérebro, provocando atrofia progressiva das estruturas neurológicas.

Manifesta-se com a alteração de humor e de comportamento. Inicialmente a pessoa apresenta perda progressiva da memória, principalmente para eventos recentes, ou seja, não se esquece do passado, mas tem dificuldade de se lembrar do que ocorreu há alguns instantes. Promove a perda das habilidades de pensar, raciocinar e memorizar. Caso a pessoa vá à padaria da esquina, por exemplo, pode ocorrer de ela não conseguir fazer o caminho de volta para a sua casa. O avanço da doença afeta a linguagem, dificultando a expressão e também o aprendizado.

A progressão da doença é lenta, porém implacável. Os sintomas vão se agravando com o passar do tempo, durando com frequência mais de dez anos; essa é a perspectiva de vida de uma pessoa com Alzheimer. A doença culmina na demência, que é um transtorno mental orgânico, resultando na perda progressiva ou permanente das faculdades intelectuais.

A pessoa perde a razão e a capacidade de cuidar de si mesma, apresentando também alteração na personalidade.

Foi descrita pela primeira vez em 1907 por Alois Alzheimer. Os principais fatores de risco incluem idade, histórico familiar e síndrome de Down.

A idade é o mais significativo fator de risco. Geralmente o acometimento da doença é tardio ou senil. A partir de sessenta anos de idade, o aumento do fator de risco é progressivo a cada cinco anos.

No tocante ao histórico familiar, a recorrência da doença em filhos de afetados é consideravelmente elevada. A incidência genética também é apresentada pelos estudos dos principais genes e dos cromossomos envolvidos com a doença de Alzheimer.

A maior parte dos portadores da trissomia 21 (síndrome de Down) que sobrevivem além dos quarenta e cinco anos, estão sujeitos a manifestar a doença de Alzheimer. Esse número atinge 80 a 90% dos casos (ROBBINS; COTRAN, 2005, p. 1452).

Antes de entrar nas causas metafísicas do Alzheimer, precisamos considerar alguns aspectos da condição de vida, comum à maioria de nós, cuja problemática poderá favorecer o surgimento da doença.

É muito comum entre as pessoas desejarem o controle sobre a realidade, querer garantir antecipadamente os resultados almejados e procurar ter as "rédeas" da condução da própria vida e, às vezes até, da vida dos outros. Para tanto, fazem-se necessárias as faculdades mentais, que possibilitam a interação com o meio em que vivem.

A integração com o ambiente e as relações interpessoais requerem que se estabeleça elo ou cumplicidade entre as pessoas, bem como interesse pelos assuntos em questão. Quanto maior a cumplicidade, maior a integração com o meio. Do mesmo modo, para o uso das faculdades intelectuais é necessário elevado nível de conexão consigo mesmas e com as situações ao redor.

Para um bom relacionamento social ou afetivo é imprescindível a capacidade intelectual para mediar os diálogos; melhor dizendo, a atenção, os registros das informações e a organização da expressão verbal e corporal.

Quanto mais afinidade existir entre as pessoas, melhor será a interpretação do que está sendo dito, possibilitando maior interação no diálogo. Isso fica evidente numa convivência longa e com profundos laços afetivos, como a de um casal. Basta um gesto ou um olhar, para que o outro se inteire do assunto.

A empatia favorece não só a aproximação como a comunicação entre as pessoas; meias palavras são suficientes para interpretar e responder o assunto em foco. Pode-se dizer que quanto mais próxima a pessoa estiver do ambiente e daqueles que a cercam, mais ela exige das estruturas mentais para se situar nos assuntos e fornecer elementos para interação. Se por um lado os diálogos ficam mais simples, por outro a necessidade de elementos interiores como a memória e o raciocínio é aumentada.

A paixão é um exemplo do quanto a estreita aproximação com o externo aciona os mecanismos interiores. Esse sentimento se manifesta basicamente na mente, acionando frequentes lembranças da pessoa "amada", tais como os últimos encontros, cada palavra pronunciada, tudo o que aconteceu com os dois e os planos para o próximo encontro.

Isso demonstra que se o envolvimento for forte, mas não profundo o suficiente, pode gerar um "colapso" psíquico, como a doença de Alzheimer, um mal que aflige pessoas que não conseguiram estabelecer um profundo elo com a realidade. É como se vivessem naquele entusiasmo da paixão, mas não estabelecessem profundo elo existencial com a vida. Apesar do tempo que viveram, não se sentiram profundamente integradas ao ambiente.

Esse profundo elo, na verdade, não é tanto com o ambiente, mas consigo mesmas, pois as pessoas afetadas por essa doença, geralmente, eram comunicativas, solícitas e bem-quistas pelos familiares. Comportavam-se de maneira simpática e feliz, conseguindo boa relação com os integrantes do grupo social e familiar. O que faltou foi a manifestação dos conteúdos interiores, tais como a sua natureza de ser, as peculiaridades etc., nas relações e na vida em geral.

Pode-se dizer que não conseguiram conduzir a vida com base nas próprias características, transferir-se para o meio em que habitaram seu estilo, bem como realizar seus mais caros anseios.

É o caso das pessoas que foram muito enfáticas na preservação do próprio estilo; o exagero é o indício da falta de convicção em si mesmas. Esse comportamento é típico do egocentrismo (concepção de que tudo gira em torno de si). A falta de fé em si, provoca o desejo de domínio sobre os outros e o excesso de cobranças.

Essa atitude, além de ser nociva para as relações interpessoais, e dificultar as conquistas existenciais, metafisicamente, colabora com o desenvolvimento do Alzheimer. Mas esse padrão de comportamento egocêntrico não é frequente entre os portadores da doença. Por outro lado, quem cultiva essas atitudes nocivas a si e ao meio, pode, no futuro, sofrer desse mal. O maior número de casos são pessoas que conduziram sua vida com anulação e submissão.

Com a doença instalada, o prejuízo na capacidade de cognição (aprendizagem), dificulta a atuação da pessoa na realidade. Ela fica à mercê dos outros e alheia ao que se passa ao redor; dependente da orientação externa, pois comprometeu o próprio senso de atuação.

Os lapsos de memória prejudicam a interação com o ambiente, tirando da pessoa a competência para conduzir sua própria vida depois de uma longa trajetória existencial, na qual também não conseguiu dar um sentido próprio a sua atuação no cenário. Apesar de ter tido um bom desempenho e domínio sobre as situações pertinentes ao ambiente em que vivia, sobressaia-se na habilidade de estabelecer relações interpessoais; porém, não tinha boa relação consigo mesma.

A falta de habilidade de expressão e a significativa mudança na condição de vida requerem condutas de autoaceitação, inclusive das limitações impostas pela doença.

A postura de perceber a si mesmo e reconhecer a maneira de ser são fatores positivos que ajudam a minimizar a progressão do Alzheimer.

Os aspectos metafísicos dessa doença proporcionam um conteúdo de reflexão para todos nós, quanto à maneira que estamos conduzindo nossa existência. Esses fatores de reflexão, que serão apresentados na sequência, são de grande ajuda para os familiares do doente, que costumam ficar traumatizados pelo sofrimento de um ente querido e atemorizados pela indicação genética que existe atualmente para essa doença, temendo sofrer do mesmo mal.

Alguns dos maiores presentes da vida são: ter a possibilidade de coordenação das faculdades interiores; viabilizar os próprios atributos para atuar na realidade; autodefinir-se enquanto pessoa; ter poder de se conduzir; ser o "senhor" de seu próprio destino; atuar com precisão no que compete a si mesmo. Nisso tudo, consiste o sentido da vida.

É importante encontrar uma maneira saudável para conduzir a vida: atuar no que compete a nós, respeitar os próprios limites, sem nos autoagredirmos com exageros na atuação. Ao fazer a nossa parte dentro dos limites cabíveis para a ocasião, visto que tudo tem seu tempo oportuno, estaremos compondo uma trajetória existencial, construindo as possibilidades para o sucesso, sobretudo, conspirando para a realização pessoal.

A carreira profissional é edificada gradativamente por meio de um bom desempenho no cotidiano, seguido de especializações adquiridas no próprio exercício da profissão, bem como em cursos de aperfeiçoamento profissional. Mas não devemos perder a cumplicidade com as tarefas. Devemos nos manter motivados por se tratar de um ambiente onde nos realizamos enquanto profissionais. O dinheiro ganho no trabalho, por exemplo, possibilita usufruir os privilégios da vida.

Na vida, tudo é decorrente da nossa participação gradativa naquilo que compete a nós. Não precisamos de uma estratégia mirabolante de atuação no trabalho, somente registrar com as atuações precisas e competentes, que se dão com a presença e o interesse, ou seja, fazer o que sabemos, da melhor maneira possível.

Dedicar ao trabalho e aos familiares o que temos de melhor, nossa participação, criatividade, competência etc., não significa que tenhamos de extrapolar, assumindo responsabilidades excessivas. Colaboração sim, obrigação não.

Afinal, é memorável viver em prol de algo que tenha um significado especial para nós naquele determinado momento. É preciso direcionar a vida de acordo com os próprios objetivos. Não se anular perante as expectativas que os outros fazem sobre o nosso desempenho e participação no meio. Ser o que somos, para que a vida possa sempre valer a pena.

Incluir-se nas relações familiares e afetivas e não se abandonar perante os outros determinam um bom desempenho na realidade, proporcionando boa qualidade de vida.

Isso é o que podemos fazer de melhor, para o bem viver; consequentemente, teremos a lucidez necessária para nos mantermos em qualquer fase da vida. Segundo a ótica metafísica, aquele que se cuida, terá sempre condições para o fazer; já aquele que se anula, poderá comprometer a valiosa capacidade de atuação no meio.

Enquanto algumas pessoas anseiam pelo poder e controle das situações existenciais, bem como da vida daqueles que as cercam, outras que vivenciam processos dolorosos, como a doença de Alzheimer, provam que a maior necessidade é a de controlar seus próprios mecanismos existenciais, dominar os processos mentais que organizam os fatores da manifestação no meio em que elas vivem.

O maior poder é o de sermos nós mesmos. Não basta apaixonar-se pela vida; é importante sentir-se integrado à realidade cotidiana.

DOR DE CABEÇA OU ENXAQUECA

Extrema assiduidade.
Preocupações excessivas.
Pensamentos possessivos e congestão mental.

Trata-se de um distúrbio presente na humanidade desde os primórdios. Atualmente, sabemos que se trata de uma doença incapacitante, que compromete o desempenho da pessoa nas atividades existenciais.

Até os anos 1980, a dor de cabeça era considerada um distúrbio puramente vascular. Foi quando Moskowitz (1980), concluiu que não era apenas uma reatividade vascular primária; ela depende de aumentos na excitação; neural, mediados principalmente pela serotonina (neurotransmissor), que ocorre isoladamente ou associada a outros processos neurológicos. Segundo ele, a dor provoca a inflamação dos vasos sanguíneos, e não o inverso, como se acreditava.

Os desencadeadores mais comuns são: fome, sede, euforia, mania, depressão, tontura, lentidão de movimentos ou irritabilidade.

As dores de cabeça são classificadas como: *cefaleias* e *enxaquecas*.

As cefaleias são facilmente confundidas com as enxaquecas. Elas até podem existir simultaneamente, mas são processos distintos, com características específicas, tais como: o período de duração dos ataques (as cefaleias são de curta duração, enquanto as enxaquecas são mais prolongadas); e os diferentes comportamentos (durante um ataque de cefaleia, as pessoas não conseguem ficar paradas, já na enxaqueca querem ficar imóveis, e ficam propensas à hibernação).

Quanto à periculosidade, é imprescindível a investigação médica quando a dor for forte, como a pessoa nunca sentiu (mudança dramática no padrão da cefaleia), ou, ainda, quando a pessoa não tem um histórico de cefaleia e, subitamente, passa a sofrer desse mal. Nesses casos a atenção deve ser maior do que naqueles em que a pessoa apresenta dores com certa frequência e até durante muitos anos.

Os ataques de cefaleia podem ocorrer em momentos específicos, com uma forte intensidade. Dentre os sintomas destacam-se: pulsação na região frontal da cabeça, queda de uma das pálpebras, inchaço e vermelhidão na região dos olhos ou na face, lacrimejamento, escorrimento ou congestão nasal, suor excessivo etc.

No tocante à enxaqueca, destacam-se as seguintes situações: surge gradativamente; pode ser completamente reversível; costuma iniciar na região frontal, estendendo-se até a coroa, na nuca ou, ainda, unilateralmente. O sintoma também pode ser pulsátil; a intensidade da dor pode ser moderada ou mesmo com picos de dor, que se repetem após um intervalo de tempo, dificultando as atividades diárias; a dor de cabeça se agrava com atividades físicas e pode inclusive provocar vômitos.

Existem algumas outras manifestações sintomáticas também muito frequentes nos quadros de enxaquecas, são elas: aspectos visuais (manchas escuras e linhas brilhantes); formigamento, agulhadas, fraqueza e confusão ou dificuldade de expressão ou compreensão.

Os principais desencadeadores são os estímulos ambientais como a luz, os sons, os odores intensos; a ingestão de certos alimentos, o álcool; o sono ou a nutrição irregular; os exercícios, o estresse, a ansiedade ou as flutuações hormonais do ciclo menstrual.

Para se obter um diagnóstico específico, é necessário consultar um médico especializado nesse distúrbio.

No âmbito metafísico, a dor de cabeça é indício de preocupação excessiva com determinadas situações que assumem um caráter perturbador. A pessoa fica pensando de maneira obsessiva em fatos que, muitas vezes, fogem ao seu controle; mas nem por isso consegue se desligar. Ao contrário, a falta de controle sobre as ocorrências provoca instabilidade emocional, levando ao desespero. Não consegue chegar a um denominador comum. Perde-se nas conjecturas mentais desencadeadas pelas ocorrências existenciais que ficaram impregnadas em sua mente, gerando desconforto, indignação e inconformismo.

Quando depara com algum acontecimento ruim, em vez de buscar conforto, é dominada pelas lembranças perturbadoras, que aumentam a indignação, reforçando as preocupações. Rumina mentalmente o ocorrido de maneira a não se desligar um só instante, causando uma espécie de congestão psíquica, que pode desencadear uma crise de dor de cabeça.

As pessoas acometidas por esses sintomas precisam aprender a elaborar suas frustrações. Quando se decepcionam, imediatamente se põem a pensar de maneira indignada e costumam fazer uma tragédia em suas mentes. Ruminam acerca das supostas implicações do ocorrido. Ao superarem esse desconforto, apesar de difícil e dolorido, é gratificante, pois recuperam a harmonia interior, promovendo a paz e a serenidade, e o mais importante: minimizam o sofrimento físico e emocional.

Essa elaboração requer mudança de foco, direcionamento da atenção para as boas lembranças ou foco otimista nos acontecimentos. Do mesmo modo que as tragédias, sejam reais ou imaginárias, provocam um estado de alerta na mente, as recordações boas nos seduzem pelo prazer. Portanto, pensar nas situações agradáveis ajuda as pessoas a se desligarem dos episódios ruins.

Quando os pensamentos perturbadores surgirem, o primeiro passo é buscar um melhor entendimento dos fatos, interpretá-los de maneira diferente para minimizar os aborrecimentos. Isso já é parte do processo de elaboração das condições ruins que invadem o ser, comprometendo o bem-estar, podendo, inclusive, provocar crises de dor de cabeça.

A calma e a tranquilidade são comprometidas pela falta de confiança em si mesmo e/ou nos processos existenciais. Quanto mais seguros nos sentirmos, menos preocupados ficamos. A segurança fortalece-nos para encarar os obstáculos com relativa leveza e serenidade, evitando as turbulências mentais diante das situações inusitadas.

Uma atitude comum entre as pessoas que sofrem de cefaleia é a de serem dramáticas. O drama aumenta a intensidade dos fatos ruins e reforça a confusão interior, enfraquecendo o potencial realizador. A consistência interior é transferida para as turbulências exteriores. Em vez de fortalecer as habilidades para driblar os obstáculos e ser bem-sucedido nas ações, ele torna as barreiras intransponíveis. Por fim, o drama é um reforçador do que nos faz mal e só aumenta a preocupação.

A agitação mental tanto gera pensamentos obsessivos, quanto provê o apego às confusões existenciais, impedindo o desprendimento. Permanecer apegado é sinal de falta de posse dos próprios atributos, os quais proporcionariam condições apropriadas para superar os obstáculos da vida. Geralmente não acreditamos sermos bons o bastante para superarmos os empecilhos, pois se tivéssemos essa convicção, não ficaríamos tão preocupados com as ocorrências desagradáveis.

A posse aqui se refere a uma condição interior positiva, como assumir a própria capacitação, enaltecendo as qualidades inerentes ao ser. Desse modo é possível desprender-se das confusões exteriores, bem como das pessoas que nos cercam, promovendo uma certa independência nas relações interpessoais.

Esse tipo de posse nada tem a ver com o apego às coisas materiais, com a necessidade de domínio sobre algumas situações existenciais, tampouco com o controle sobre a vida dos outros. Essas condições de apego provam o contrário, é justamente a falta de posse sobre si que gera insegurança, mobilizando os mecanismos de compensação na busca de apoio externo ou nos outros. Uma pessoa possessiva busca fora o que não reconhece existir em si mesma.

Em vez de manifestar essa dependência em forma de carência, expressa-a como necessidade de controle da vida dos outros e também como domínio das situações ao seu redor. Portanto, o apego representa justamente a falta de posse, pois quem a tem, não se apega, deixa as coisas fluírem naturalmente.

As pessoas que sofrem de cefaleia, geralmente se comportam de maneira possessiva. Elas não sabem viver sem nenhum poder sobre as situações. É muito difícil para elas deixarem que os fatos simplesmente aconteçam, sem interferir nas ocorrências. Não permitem que nada escape ao seu controle, envolvem-se excessivamente com as questões exteriores, sobrecarregando-se de tarefas ou ficam com preocupações excessivas.

Na verdade, o domínio exercido por elas sobre os outros ou sobre as situações ao seu redor, objetivam sentirem-se incluídas no meio em que vivem.

Querem dominar as situações para garantir que tudo se desenrole conforme previsto. Buscam colaborar de alguma forma, tentam agradar os outros para se sentirem úteis, consequentemente, seguras.

Estão frequentemente planejando estratégias mirabolantes para alcançar seus objetivos. Incluem as pessoas nos seus planos, sem prévia consulta. Quando vão comunicá-las e não obtêm boa aceitação, decepcionam-se. Elas não conseguem compreender que suas estratégias têm uma finalidade própria e na maioria das vezes não estão de acordo com os objetivos alheios.

Os outros são focos constantes de sua atenção e motivo de suas maiores preocupações. Obviamente, a atenção dirigida a quem se quer bem, é algo natural quando existe um sentimento de carinho; no entanto, as pessoas que sofrem de dor de cabeça, preocupam-se demasiadamente com os outros. Não conseguem se desligar, sequer por alguns instantes. Falta-lhes certo distanciamento, que permitiria a elas olharem mais para suas próprias coisas e preocuparem-se menos com os outros.

Além disso, favorecer o bem viver, representa uma atitude saudável para minimizar as crises de dores de cabeça.

A mudança de atitude envolve transformar hábitos profundamente arraigados e comportamentos cristalizados. Isso não é feito de uma hora para a outra; exige tempo e persistência. O próprio início do processo ocorre gradativamente. Primeiro, a pessoa precisa perceber que a sua maneira de ser, não faz bem a ela mesma. Depois, precisa constatar a necessidade de fazer uma reformulação interior, para não sofrer nem se desgastar tanto com o seu jeito de encarar o que se passa ao seu redor, respondendo de forma acirrada os eventos exteriores e devendo, portanto, encarar a vida de maneira amistosa.

Não podemos permitir que as turbulências dos acontecimentos tirem-nos do centro ou comprometam a nossa espontaneidade. Levar a vida de maneira leve e bem-humorada representa uma atitude saudável, principalmente para as pessoas que sofrem de dor de cabeça.

A responsabilidade imposta pelos compromissos sociais, profissionais e financeiros que vem acompanhada da maturidade, geralmente inibe a fluidez, comprometendo o bom humor.

Lamentavelmente, quando o amadurecimento é imposto muito cedo a uma criança ou adolescente, por alguma necessidade, costuma ser seguido de uma conduta acirrada. Quando as preocupações aumentam, a alegria se extingue, prejudicando a satisfação pelos eventos existenciais. Isso pode ocorrer também na fase adulta, na qual alguns problemas são encarados com tanta intensidade que interferem na alegria de viver. Preocupada com os problemas, a pessoa encara os acontecimentos de maneira automática, sem aquela admiração que permitiria a ela apreciar com uma espécie de sabor especial, o que se passa ao seu redor.

É preciso resgatar a alegria de viver para melhorar a qualidade de vida. Isso contribui positivamente para o alívio dos sintomas da dor de cabeça. Pode-se dizer que alimentar a alegria faz bem para a mente e para o corpo.

Um outro perfil da personalidade das pessoas que sofrem de cefaleia ou enxaqueca é delegarem o poder aos outros e despreocuparem-se com o andamento do que não compete mais a elas. Confiar e despreocupar-se são aprendizados necessários para não se sobrecarregar com tudo o que está a sua volta, nem sofrer emocionalmente ou com as dores de cabeça.

No tocante aos quadros enxaquecosos, metafisicamente, há uma atitude de extrema atenção dirigida ao que se passa ao redor das pessoas.

Quando elas se dedicam a algo são tenazes. Esmiúçam o ocorrido ou planejam sua atuação de maneira a atender a uma série de necessidades que existem de fato no seu desempenho ou imaginam ser importantes.

A atividade mental dessas pessoas é muito intensa. Elas buscam entender todos os aspectos relacionados a um fato. Suas conjecturas vão além do ocorrido, ventilam mentalmente até mesmo o que não aconteceu. Não se contentam apenas com o que ouvem, procuram conhecer a fundo o que foi dito, inclusive as razões que levaram os outros a discorrer sobre certos assuntos.

Os acontecimentos ficam martelando em sua mente por longos períodos. Mal elaboram um fato, surgem outros para se preocuparem. Estão em constante estado de alerta ou preocupadas. Raramente conseguem espairecer ou ficarem tranquilas.

Existem algumas vantagens nessa maneira intensa de proceder: trata-se da qualidade de ser eficiente e dedicada naquilo que faz, conseguir participar simultaneamente em diversas situações existenciais, lidando com várias coisas ao mesmo tempo, sem deixar a desejar em nenhuma delas. Por causa do seu desembaraço, costumam dar conta das exigências do meio, acarretando para si uma sobrecarga de atividades ou, ainda, excesso de preocupações.

Seu desempenho é valioso para aqueles que estão à sua volta. Apesar do desgaste mental ocasionado pela excessiva preocupação, sua assiduidade acaba sendo proveitosa para o meio; não raro, as pessoas abusam de sua dedicação.

Preocupam-se com o bem-estar alheio, pois nisso repousa a sua própria felicidade. Ao promoverem uma situação a contento, realizam-se com os resultados obtidos.

São mais voltadas para o meio externo. Costumam focalizar mais as necessidades dos outros do que as suas próprias. Não admitem uma imagem diferente a seu respeito. Abominam as injustiças, principalmente em relação a si. Serem julgadas erroneamente é motivo de muita indignação.

Quando vão participar de algo, gastam muita energia psíquica nas conjecturas e planejamento das suas ações. Não é praxe agirem no improviso. Gostam de ter tudo planejado e devidamente organizado para que nada dê errado. Exageram na organização por não se sentirem à vontade e em condições de lidarem com o inesperado. As situações inusitadas são abominadas e causam certo pavor, provocando tensão e desconforto.

São pessoas persistentes, que não se convencem facilmente. Gostam de entender a fundo uma situação. Não se contentam com pouca explicação, querem atingir o cerne da questão.

Consideram distração ficar racionalizando as ocorrências existenciais. Pode-se dizer que não conseguem viver sem certa dose de preocupação. Quando nada acontece, procuram uma situação para se envolverem.

Não suportam as situações em aberto nem ficar aguardando solução futura. Esperar é algo que provoca desconforto e agitação interior, pois ficam imaginando tudo o que pode ou não acontecer. Não sabem viver diante de incertezas, pois elas instigam a sua imaginação, que geralmente permeia na negatividade, causando-lhes grande turbulência psíquica.

É preciso confiar nas pessoas ou nos processos existenciais que têm a incumbência de diluir os problemas aparentemente insolúveis. A nossa atenção deve ser dirigida àquilo que vamos fazer ou em como executar nossas escolhas. Não precisamos traçar todo o percurso ou tentar premeditar o reflexo das nossas ações. É importante confiarem mais e preocuparem-se menos. Ficarem mais atentas ao que é realmente valioso e não desperdiçarem energia psíquica em planejamentos.

Esses fatores de agitação ocorrem na esfera mental, raramente são externados. A turbulência psíquica inviabiliza a exteriorização dos potenciais, impedindo que a pessoa se torne eficiente. Além do prejuízo de não ser prático, essa condição também compromete a qualidade de vida da pessoa, perturba o seu bem-estar, podendo até causar crises de dor de cabeça.

A pessoa afetada pela dor de cabeça possui a qualidade de ser intensa naquilo que faz. Mas sua intensidade permanece na esfera mental. Não possui habilidades para viabilizar esse recurso interior em realização no meio exterior. A atividade mental exacerbada gera impulsos viscerais, que permanecem contidos, aumentando a tensão internalizada.

Para o aprimoramento interior é necessário que a pessoa melhore seu nível de enfrentamento das situações difíceis, manifeste o seu potencial, empenhando-se para conquistar sua felicidade, consequentemente, minimizando os sintomas da dor de cabeça, bem como os quadros de enxaquecas.

AVC (ACIDENTE VASCULAR CEREBRAL)

Sentir-se impossibilitado ou perdido na execução das atividades.

Também conhecido como derrame cerebral, o AVC é uma doença séria que pode causar sequelas irreversíveis se a pessoa não for atendida rapidamente. A OMS (Organização Mundial da Saúde) define como: "um sinal clínico de rápido desenvolvimento, de perturbação focal na função cerebral, de suposta origem vascular e com mais de 24 horas de duração".

O acidente vascular cerebral (AVC) é uma das principais causas de morte no mundo. As pessoas não percebem que estão tendo um derrame, por esse motivo não procuram o médico.

Ele é caracterizado pela lesão em um dos vasos sanguíneos que irrigam a região cerebral. Pode ser *isquêmico* ou *hemorrágico*.

A maior parte dos derrames são isquêmicos, o vaso sanguíneo é obstruído por um coágulo que bloqueia a passagem de sangue e oxigênio para uma área do cérebro. Esse processo também é chamado de isquemia cerebral.

O AVC hemorrágico costuma ser letal. Ocorre quando a parede de uma artéria que irriga o cérebro é lesionada, provocando um sangramento numa área cerebral, formando um hematoma, que, mesmo em pequenas proporções, pode ter consequências drásticas à saúde e até mesmo por fim à vida.

O acidente vascular cerebral, em geral, deixa sequelas que são mais ou menos graves, dependendo da área do cérebro afetada e do tempo que levou para a pessoa receber atendimento médico.

Na metafísica, o AVC é uma consequência da falta de habilidade da pessoa para lidar com o seu fluxo pela vida, principalmente diante das situações de poder. Quando ela tem de coordenar o desenvolvimento dos fatos existenciais e depara com sérios obstáculos, não consegue administrar com maestria a desenvoltura de suas ações.

Os obstáculos na verdade são decorrentes da limitação da própria pessoa, que impõe a si mesma uma responsabilidade excessiva, desrespeitando sua natureza interna. Por esse motivo, se vê cercada de problemas, tornando praticamente impossível alcançar seus objetivos.

Ao longo do trajeto existencial a pessoa vem se anulando, comprometendo a percepção de si mesma e faltando com o respeito próprio. Quando falta o respeito, a pessoa passa a vivenciar conflitos internos, que, por sua vez, são projetados para o meio externo, tornando-se obstáculos praticamente intransponíveis.

Esse é o quadro emocional das pessoas que sofrem algum derrame. Ela se encontra no pico da dificuldade para administrar os acontecimentos existenciais. As derrotas geram frustrações. Sentem-se incapazes de administrar a fluidez existencial e coordenar os episódios exteriores. Não conseguem controlar as situações exteriores nem o seu desempenho para lidar com os obstáculos.

Geralmente, seus objetivos são traçados com base nos seus desejos ou mesmo, naquilo que é assimilado exteriormente. Em nenhum momento a pessoa se remete a si para averiguar seus reais sentimentos a respeito daquela nova empreitada que está assumindo. Será que ela tem os recursos suficientes para atender à nova demanda? Conta com estrutura emocional para suportar as exigências das tarefas que está tomando para si? Quais serão os reais benefícios que a situação oferece, comparados ao esforço e à perda da qualidade de vida que aquela atividade exige?

Esses questionamentos praticamente não existem antes de tomar para si uma nova incumbência ou mesmo aceitar um desafio. Movida por um impulso realizador ou sem querer perder a oportunidade que a vida oferece, a pessoa vai se envolvendo com uma sobrecarga de funções ou tendo que coordenar uma situação praticamente impossível de ser controlada.

Na verdade, a pessoa não está pronta para assumir responsabilidades tão grandes. Por esse motivo, as dificuldades são frequentes, pois elas sinalizam os próprios limites ou bloqueios, que dificultam o desenvolvimento das tarefas e também o desempenho para realizar aquilo que foi almejado.

Para superar os bloqueios e as limitações, a pessoa deve aceitar suas restrições, empenhar-se nas tarefas, dando o melhor de si, mas sem cobrar o impossível. Ter firmeza naquilo que faz, mas não ser rude para consigo mesma. Diminuir o drama, deixando de se queixar da sobrecarga de atividades. Adotar uma relativa naturalidade, que promove a leveza e boa fluidez dos acontecimentos.

Duas condições internas são bem específicas no quadro metafísico daqueles que sofrem um AVC. A pessoa sente-se impossibilitada de agir; ou então, atrapalha-se, perdendo a coordenação do próprio fluxo nas ações. Ambos os casos prejudicam sua desenvoltura. Esses aspectos, basicamente, caracterizam as causas metafísicas do AVC isquêmico ou hemorrágico.

No AVC isquêmico, também conhecido como isquemia cerebral, a pessoa depara com frequentes interrupções no curso dos acontecimentos. Perde o poder ou é tirada de cena por alguma artimanha do destino ou por obra de alguém que possui expressiva influência na situação em que atua.

Metafisicamente, essas condições são compatíveis com os próprios bloqueios, tais como: resistências às mudanças; falta de autoaprovação; a pessoa não se valoriza perante os outros ou, ainda, não se sente merecedora do sucesso almejado.

Antes de agir, a pessoa precisa consultar suas crenças a respeito do que se propõe a executar. Nem sempre os seus valores internos são compatíveis àquilo que está realizando, daí surgem os conflitos, que são deslocados para o meio externo, gerando os empecilhos na execução das tarefas.

A pessoa julga estar sendo perseguida por alguém, sente-se vítima de certas façanhas que a prejudica, mas, na verdade, tudo isso é projeção dos seus próprios conflitos. Os outros e o meio apenas refletem o que cultivamos interiormente. Portanto, os maiores obstáculos são aqueles que cultivamos em nosso interior.

Quando somos boicotados por alguém ou excluídos de um projeto isso é reflexo da autossabotagem. Vale lembrar uma das leis metafísicas: recebemos dos outros o que cultivamos interiormente. A maneira como somos tratados pelos outros, equivale à forma como nos relacionamos conosco.

Para mudar esses eventos desagradáveis precisamos realizar uma reforma íntima. Acreditar mais nos próprios potenciais, ser favorável àquilo que idealizamos, promove a harmonia interior sem a qual, os conflitos existenciais se intensificam.

As pessoas que sofrem um AVC isquêmico vivem deparando com obstáculos e sendo boicotadas pelos outros. Mal saem de um baque, surgem outros. Seus planos são frequentemente interrompidos. Geralmente são assediadas por alguém mal-intencionado ou maldoso, que as persegue, prejudicando seus planos.

Isso ocorre devido aos bloqueios internos que não são superados, tampouco apaziguados. Falta para essas pessoas e também para quem vive frequentemente sendo boicotado, a estabilidade emocional que seria conquistada por meio da preservação dos seus princípios. Faz-se necessário resgatar o autorrespeito, ser mais coerente com seus valores e não se agredir, a ponto de causar bloqueios internos, que, por sua vez atraem circunstâncias exteriores que impedem a realização dos seus potenciais.

* * *

No tocante ao AVC hemorrágico, metafisicamente, ele reflete a perda de coordenação dos processos existenciais. As pressões externas levaram a pessoa ao desespero, fazendo-a perder a coordenação das suas ações.

A pessoa não se deu conta do elevado nível de tensão ocasionada pelas exaustivas atividades. Esforçou-se muito para dar conta da demanda de trabalho, sem perceber que estava investindo nessa área sua qualidade de vida e principalmente sua saúde.

É importante lembrar que nada nessa vida, por mais grandioso que seja, vale mais do que o nosso bem-estar físico ou emocional. Nada justifica o prejuízo à saúde ou à integridade psíquica. As conquistas materiais não se revertem em benefício se não forem acompanhadas de saúde para desfrutá-las.

Para ser bem-sucedido no trabalho, é necessário dinamismo, precisão e intensidade nas ações. No entanto, isso pode ser desempenhado de maneira salutar, possibilitando o desenvolvimento dos nossos potenciais, bem como a conquista do que almejamos. Galgamos uma posição social e financeira, por exemplo, e nos dedicamos ao máximo para alcançar esse objetivo. Esse processo, faz parte da vida, possibilita-nos a motivação, instigando-nos a participar intensamente dos eventos exteriores.

Ao mesmo tempo em que esses desafios estimulam-nos, promovendo o aprimoramento das nossas potencialidades, facultando-nos a capacidade de agir com maestria na coordenação dos processos existenciais, se eles não forem dosados numa sequência contínua de exigências para conosco, poderão afetar o nosso limite de suporte emocional.

Superar as metas exteriores é salutar; no entanto, ultrapassar os próprios limites de resistência interna, representa autoagressão. Muitas vezes queremos sanar todos os problemas do ambiente, assumindo uma série de responsabilidades, sem medir as consequências para as nossas emoções.

Precisamos tomar cuidado ao assumir incumbências que exigem demasiado esforço. O aumento das exigências para consigo mesmo, deve ser gradativo, nunca exagerado, para não ultrapassar os limites de suporte interior.

Se uma pessoa, por exemplo, se propuser fazer algo que nunca fez nem possui qualquer preparo, ela não contará com o suporte emocional suficiente para a realização daquele propósito. Para se fortalecer interiormente é necessário um tempo para desenvolver suas aptidões. A instrução é um dos principais meios de desenvolvimento; ler sobre o assunto, fazer cursos e buscar especialização na área, faculta a ela o preparo intelectual para execução das tarefas. No entanto, é preciso sentir-se emocionalmente preparado para o exercício da profissão.

Geralmente, o fortalecimento emocional ocorre em conjunto com o aprendizado. Durante o período de instruções, paralelamente se desenvolve sentimentos competentes para que a pessoa desempenhe as funções pertinentes àquela área. Esse estado interno, metafisicamente, representa um ingrediente fundamental para o seu ingresso na área. Os demais recursos para o sucesso, virão com a própria experiência obtida durante o exercício da profissão.

Um aluno universitário, por exemplo, além da graduação, precisa sentir-se preparado para dar início a sua trajetória no segmento de formação. Ao sair da faculdade, além de formado, ele deve se sentir pronto para atuar na área. Como a trajetória acadêmica costuma ser insuficiente para proporcionar essa condição aos alunos, pela falta de tempo para desenvolver o assunto ou acomodar tantas informações novas que chegam, os cursos de especializações tornam-se práticas cada vez mais frequentes para coroar a preparação do profissional.

Além da bagagem adquirida durante os cursos de especializações, o simples fato de a pessoa sair da posição de mera aluna e passar a ser tratada pelos seus colegas e instrutores, como alguém formada, contribui significativamente para aprimorar os requisitos interiores e alavanca a atitude de competência.

O meio acadêmico não é a única maneira de formação profissional. Ele representa um meio rápido e prático, que geralmente abrevia a especialização por reunir conhecimentos que, na prática, seriam obtidos por meio dos tropeços e das árduas experiências.

No entanto, existem muitos profissionais competentes que não surgiram dos meios acadêmicos e sim da atuação direta na área. São pessoas formadas pelas "adversidades da vida", não passaram pela trajetória acadêmica, levando, em certos casos, mais tempo para desenvolver-se profissionalmente. Não nos referimos, é claro, às pessoas desqualificadas que se atrevem a fazer o que não têm competência. Estas, são entusiastas que não permanecem na área e, depois de um curto período, migram para outra função. Costumam deixar para trás uma série de problemas causados pelo seu péssimo desempenho.

As pessoas bem-sucedidas no trabalho, são as que se prepararam para exercer uma função, dedicaram-se, estudaram, foram em busca de informações e oportunidades para atuarem na área de seu interesse. Sobretudo, um bom profissional é aquele que reuniu o aprendizado para sentir-se competente para exercer a sua função. Essa é a maturidade emocional para desempenhar uma tarefa.

Quando a pessoa não se sente emocionalmente preparada, ela pode exagerar na incumbência tomada para si, num desejo de provar a si mesma que consegue realizar mais atividades do que se sente preparada. Isso acarreta a falta de respeito aos próprios limites; testando a resistência a pessoa geralmente se agride. Ela não se dá conta do mal que isso causa, em especial, nos vasos de irrigação cerebral. Podendo chegar ao extremo de provocar um rompimento, ocasionando um AVC hemorrágico.

Quando jovens, costumamos testar os nossos limites para expandir nossos horizontes, principalmente emocionais. Mas isso não perdura muito. Com o tempo, passamos a promover avanços gradativos, sem tanta autoagressão. Isso não ocorre com as pessoas que sofrem um AVC, elas sempre vão além das suas possibilidades. Assumem responsabilidades que estão além do seu suporte emocional, deixando para trás um percurso de exageros, principalmente na responsabilidade assumida para a coordenação das funções.

Antes de assumir um novo desafio, reflita sobre qual o seu suporte emocional para aquilo que você pretende fazer. É preferível adiar uma promoção a se submeter a realizar tarefas que afetem seu limite de resistência interior. Não se esqueça de que ao se precipitar, você poderá estar se agredindo.

Não tenha pressa para prosperar. Vale lembrar que tão importante quanto conquistar é ter saúde para usufruir o que você adquiriu. Portanto, não faça da sua trajetória de vida um caminho de desrespeito a si, machucando-se emocionalmente dia a dia. Viva intensamente. Faça tudo o que você for capaz e se prepare para fazer um pouco mais do que faz no presente. Objetive atuar num patamar mais elevado. Galgar uma posição superior é salutar, porém, extrapolar os próprios limites para atingir esse objetivo pode comprometer o bem mais precioso da vida, a sua saúde.

De acordo com a visão metafísica, as hemorragias correspondem ao exagero na fluidez, causando uma série de confusão interior, que desorienta a pessoa nas ações do meio externo. Literalmente, ela se perde no que faz. Em suma, o acidente vascular cerebral hemorrágico é consequência da falta de respeito aos próprios limites e autoagressão.

A atividade mental exacerbada contribui em grande parte para esse processo de extrapolar limites e assumir responsabilidades excessivas. Nossa mente é atemporal, ela pensa, planeja, gerando desejos que se sobrepõem aos fatores tempo e espaço. Isso traz ansiedade e frustração. Ficamos ansiosos com as expectativas que fazemos sobre as situações presentes e futuras. Isso provoca uma sobrecarga de cobranças sobre nós mesmos e uma série de insatisfações com os acontecimentos, por eles não corresponderem aos nossos anseios psíquicos.

Precisamos nos conscientizar da dimensão do tempo e do espaço existentes na vida material, só assim conseguiremos organizar nossos pensamentos. A mente concebe as situações como se elas fossem plásticas, moldando-se imediatamente àquilo que pensamos. No entanto, a solidez do mundo físico requer um empenho constante que demanda tempo e dedicação. No mundo material é preciso viabilizar recursos exteriores para concretizar um intento; nada é imediato.

Uma vez plasmado na mente, faz-se necessário acreditar na realização daquele intento. Ao crermos em algo que desejamos, a mente reduz as expectativas imediatistas, possibilitando-nos a interação harmoniosa com a realidade.

As pessoas que não sabem lidar com os níveis mental e material nem acreditam naquilo que desejam, possuem uma certa imaturidade emocional. Elas costumam mergulhar no mundo dos sonhos, que favorece as especulações psíquicas, distanciando-nas do mundo material. Esse mecanismo é um dos principais causadores das frustrações, intensificando a racionalidade.

O processo mental desenfreado sabota a dedicação, prejudicando o empenho que levaria à concretização dos desejos. Além disso, causa excesso de cobrança sobre o seu próprio desempenho, atrapalhando a viabilização dos meios para concretizar os objetivos. Portanto, esse é um dos fatores metafísicos desencadeador do AVC hemorrágico.

Para evitá-lo é necessário fazer planos que correspondam ao suporte interno. Respeitar os próprios limites, valorizar o empenho, saciando-se com os estágios alcançados e com o que já pode ser executado, empenhando-se gradativamente a novos desafios, sem negar suas próprias restrições.

Respeitar-se, valorizar os próprios potencias e não se sabotar é uma espécie de elixir metafísico que previne o Acidente Vascular Cerebral.

EPILEPSIA OU CONVULSÃO

Impulsividade recalcada.

Durante a história, supunha-se que as pessoas epiléticas eram portadoras de poderes especiais ou estavam possuídas. Mesmo assim, importantes figuras históricas conviveram com a epilepsia, tais como: Julio César, Van Gogh, Napoleão etc., e mostraram que os epiléticos podem oferecer imensas contribuições à sociedade.

As convulsões são contrações violentas e involuntárias de um grupo de músculos. Raramente ocorrem isoladas, em geral são sintomas da epilepsia. Os fatores metafísicos aplicam-se a ambos os casos.

A epilepsia é um distúrbio neurológico crônico, caracterizado por ataques curtos de convulsões, que voltam a se repetir com a mesma intensidade e sem serem provocadas. Os ataques, denominados crises epiléticas, começam com descargas anormais e irregulares de eletricidade, geradas por milhões de neurônios no cérebro.

As causas orgânicas das convulsões variam entre primárias, que são de natureza desconhecida (atribui-se à predisposição genética ou bioquímica); intracranianas, provocadas por tumores, alterações vasculares e traumas (fraturas cranianas), infecções etc.; extracranianas, de origem metabólica, bioquímica, ingestão de medicamentos, abstinência de drogas ou álcool etc.

No aspecto metafísico, o epilético possui grande força realizadora, suas potencialidades são maiores que suas habilidades. Para entender melhor o sentido aqui empregado a esses termos, esclarece-se que os potenciais são inatos, não dependem de desenvolvimento, nascemos com eles e o que está vinculado ao desenvolvimento são as habilidades adquiridas por meio das experiências. Tornamo-nos hábeis quando conseguimos organizar as faculdades interiores, viabilizando os meios necessários para a execução dos nossos potenciais latentes.

No processo de desenvolvimento a pessoa se envolve com as situações existenciais e aproveita as chances que o meio oferece para realizar seus objetivos. Oportunidades são encaradas como possibilidades de execução dos nossos desejos.

De certa forma, as coisas não vêm prontas, nós a adequamos aos nossos interesses. Conquistamos com a nossa expressão, um espaço no meio e certos privilégios; porém, a conquista mais valiosa é a habilidade adquirida com a experiência, pois essa perdura para sempre e nos permite repetir tantas outras vezes as mesmas conquistas.

Pode-se dizer que ter habilidade é ser livre e independente. É ter capacidade de enfrentar as adversidades da vida, recorrendo aos próprios recursos, sem depender dos outros. A independência evita o apego e fortalece a autoestima. A liberdade favorece o aprimoramento interior e evita os processos depressivos. Assim sendo, ser hábil é uma grande conquista existencial.

Para conquistar a habilidade, devemos aproveitar as oportunidades e não esperar as condições ideais. O ideal não pode ser nosso ponto de partida num projeto de vida. Aquilo que seria ideal para fazer o que pretendemos é conquistado depois de muita interação com a realidade, manifestando o nosso potencial. Transformamos as ocasiões oportunas em situações totalmente adequadas àquilo que desejamos realizar. Portanto, aceitar as oportunidades que a vida oferece é despojar-se dos critérios que restringem a execução dos nossos talentos.

Obviamente, seria ideal ter todas as condições para dar início, por exemplo, a uma atividade profissional. No entanto, quando isso não acontece é preciso ser maleável e criativo para improvisar, com os recursos disponíveis e assim dar início a uma trajetória, na direção dos nossos ideais.

Assim, transformamos as possibilidades reais em situações adequadas. Pode-se dizer que o ideal passa a existir após a nossa atuação. O ser humano possui uma espécie de capacidade alquímica de transformar possibilidades em condições oportunas.

Nossa trajetória de vida tem um perfil semelhante. Nascemos num meio familiar em que praticamente não existia um espaço definido para nós. Ao longo do desenvolvimento, fomos definindo esses espaços, conquistando uma referência no seio familiar.

Tão logo crescemos, precisamos nos inserir na sociedade, onde também não existe um espaço próprio. Preparamo-nos com os estudos, especializamo-nos, vamos dando alguns passos na carreira até alcançar o que galgamos. O mesmo ocorre com as nossas relações sociais e afetivas. Conquistamos as amizades, despertamos profundos sentimentos por determinadas pessoas que sequer conhecemos. Movidos pelo sentimento de amor, por exemplo, aproximamo-nos, estabelecendo relacionamentos.

Uma amizade, por exemplo, faz-se com a manifestação de qualidades. Não existe consanguinidade entre amigos; é uma questão de conquista, que se dá por meio de atributos de ambas as partes, promovendo o companheirismo que acrescenta um ao outro.

A essa altura, você deve estar se perguntando: "Qual a relação dessa explanação com a epilepsia?", haja vista tratar-se de uma condição que envolve a experiência de vida de cada um de nós, não somente daqueles que sofrem de epilepsia. Para alguém ser bem-sucedido nos processos existenciais, requer-se organização interior. Somente assim, consegue-se viabilizar a expressão dos conteúdos internos no meio externo. Essa qualidade é deficitária nas pessoas que sofrem de epilepsia. Os potenciais são comprometidos pela falta de elaboração interna.

Conquistar a habilidade de organizar sua própria expressão representa um dos principais desafios a ser superado. Tornar-se bem-sucedido nessa condição permitirá que os seus talentos ecoem no ambiente, acrescentando os seus valores positivos, que beneficiarão a si mesmo, e também aqueles que o cercam, como fizeram alguns dos grandes personagens epiléticos da história.

Antes de qualquer ação, a pessoa precisa organizar os pensamentos para elaborar planos, que produzem ondas cerebrais, transmitindo sinais estimuladores ou inibidores para a musculatura. Consequentemente, fluem os movimentos compatíveis àquilo que se planejou. Essa ordem funcional é alterada nas pessoas epiléticas. Pode-se dizer que o maior problema delas está na condição interna de se organizarem para as ações.

Seus impulsos permanecem reprimidos, gerando uma série de conflitos mentais. Geralmente a sua força manifestadora encontra resistência por parte de alguém ou de alguma situação que se opõe aos seus intentos. Por um lado, pensam na importância de fazer o que têm vontade e o quanto o seu gesto beneficiaria o meio; por outro, revoltam-se com a oposição encontrada, desestimulando-se de interagir.

Muitas vezes basta um pequeno detalhe ou apenas uma frase das pessoas em volta para causar um grande aborrecimento. Mediante isso, agem como se estivessem diante de um grande obstáculo, praticamente impossível de ser transposto. Sentindo-se tolhidas, provocam uma grande turbulência na instância mental, afetando suas emoções.

Essa confusão interior afeta a química do cérebro, intensificando os sinais nervosos que exacerbam a musculatura, provocando as crises convulsivas.

No instante da crise surge um alvoroço na mente, seguido por um turbilhão de impulsos desenfreados, que se compara à sensação de "freio de mão puxado", contendo toda essa fúria interior. Tal sensação, talvez, compara-se a um vulcão em ebulição ou mesmo a uma manada de animais cercada num curral, prestes a estourar. Situações dessas equivalências aproximam-se bastante do universo emocional de uma convulsão.

As crises convulsivas surgem como uma maneira violenta de descarregar essas pressões geradas pelas emoções reprimidas. O epilético se sente impossibilitado de se expressar. Para ele, ninguém considera suas opiniões, tampouco respeitam suas vontades, sequer esperam sua vez de se pronunciar. Ele fica sem ação diante das pessoas que o rodeiam.

Geralmente reclama por ser boicotado e não receber as chances que merece. É comum, porém, ele mesmo se boicotar. Quando surge alguma oportunidade para realizar algo de que gosta, perde a chance, priorizando qualquer outra situação, mas não se permite realizar os seus desejos. Para ele não existem momentos oportunos, ao contrário, nunca é possível realizar seus intentos.

Queixa-se dos outros, quando o maior problema consiste na sua própria dificuldade em relação ao meio. Pode ser até que as pessoas em volta não tenham sensibilidade para favorecer o seu desempenho, mas são as suas dificuldades de elaboração mental que acentuam a oposição dos outros.

As pessoas que sofrem de epilepsia têm certa necessidade de serem ouvidas, de se destacarem perante os outros ou até dominá-los por meio de processos de manipulação. Essa é uma maneira de compensar a falta de autodomínio. E também de buscarem uma posição diferenciada no grupo, alimentando sua personalidade dominadora, para minimizarem o desconforto da falta de poder sobre si mesmas.

Assim sendo, não viva em busca de incentivos dos outros para realizar suas próprias vontades. Procure, você mesmo, proporcionar as chances necessárias para a viabilização de sua expressão. Saiba respeitar os próprios limites. Dê valor àquilo que você está pretendendo fazer, não espere que os outros valorizem ou o motivem; faça a sua parte, independentemente dos resultados; o simples fato de realizar, promove uma sensação de competência e bem- estar.

Procure ser compreensivo com os outros, para não retribuir a eles aquilo que você julga estar recebendo deles. Além disso, ficar indignado com alguém desvia a atenção do foco do problema, que é interno e não externo.

Dedique-se a aprimorar a maneira de lidar com o processo interior, pois isso favorece o desenvolvimento da habilidade de expressão no meio exterior. Para conquistar a estabilidade emocional, observe a si mesmo, perceba a vertente dos desejos. Pense nos meios disponíveis e nas oportunidades que a vida oferece. Depois, realce os seus próprios recursos, tais como: o seu histórico de vida, os momentos que você foi bem-sucedido, e por fim o direito que lhe assiste de executar suas vontades.

Acredite, você merece ser feliz. Para tanto, dedique-se ao que lhe apraz, saiba esperar o melhor momento, mobilize seus recursos interiores. Use sua perspicácia, não para encontrar nas pessoas os pontos contrários a sua manifestação, mas sim para descobrir o melhor momento de realizar seus objetivos.

Desse modo você estará construindo uma condição interna favorável à de vertente dos potenciais. Por meio dessa prática, conquistará habilidade para manifestação do seu ser, com todos os atributos latentes na alma.

Algumas crises convulsivas podem ocorrer num jovem que tenha muita energia, criatividade e impulsividade. Num dado momento da vida, em que ele se sente desprovido dos meios para verter seus potenciais ele pode precipitar as convulsões.

Mais do que ter muitas oportunidades, esse jovem precisa aprender a se organizar por si mesmo, expor-se com naturalidade, mantendo a fluidez, que não depende exclusivamente das condições externas, mas também da harmonia interior, que garante bom fluxo existencial, superando os obstáculos impostos pela realidade. Os desafios fortalecem os potenciais, aprimorando as habilidades.

TIQUES OU CACOETES
Impulsos e entusiasmos reprimidos.

Cientificamente são denominados de síndrome de Gilles de La Tourette, em homenagem ao aluno de Charcot, que publicou em 1885 o primeiro artigo sobre o assunto. Popularmente são conhecidos como tiques nervosos ou cacoetes.

Trata-se de um distúrbio neuropsiquiátrico do comportamento, que na sua grande maioria começa na infância. A simples presença de tiques, principalmente em crianças, não caracteriza a síndrome de Tourette, visto que são relativamente comuns esses sintomas em alguns momentos. Na maioria dos casos, tendem a diminuir em número e frequência até o fim da adolescência.

Para ser caracterizado como distúrbio, os fenômenos compulsivos devem perdurar por pelo menos um ano, mesmo que os sintomas apresentem variações de estilo e local do corpo afetado pelos cacoetes, ou mesmo que alternem entre motor e vocal. Toda forma de cacoete acentua-se pela ansiedade, tensão emocional e estresse. É reduzida a intensidade de manifestação durante o sono e a prática de atividades que exigem concentração. Também podem ser suprimidos pela vontade.

Os tiques são definidos como movimentos anormais, de natureza crônica e manifestações breves, rápidas, súbitas, irresistíveis e sem propósitos que justifiquem a realização dos movimentos.

Apresentam graus variáveis, de leve a grave, e flutuam ao longo do tempo. O grau leve consiste em tiques motores simples, caracterizados por movimentos abruptos, envolvendo contrações musculares, principalmente dos olhos (piscar); também acontecem movimentos de torção do nariz e boca. O grave equivale a tiques motores complexos, que são mais lentos e parecem propositais, tais como: imitação dos gestos dos outros, gestos obscenos ou bizarros, movimentos violentos como arremesso de objetos etc.

Além dos tiques motores, que caracterizam o cacoete, existem também os tiques verbais ou vocais e os tiques sensitivos ou sinais acessórios.

Os tiques vocais também têm graus simples e complexos. Os tiques vocais simples mais comuns são coçar a garganta e fungar; os mais complexos são: repetição involuntária de frases ou palavras de outrem (ecolalia), uso repetido de palavras com sonoridade complexa ou exótica, inseridas aleatoriamente no meio das frases; palavras chulas ou obscenas pronunciadas inadvertidamente etc.

Os tiques sensitivos são definidos como sensações somáticas de peso, leveza, frio e calor, que ocorrem nas articulações e nos músculos, obrigando a pessoa a executar um movimento voluntário para obter alívio das sensações de desconforto.

Na concepção metafísica, os tiques refletem a má administração dos próprios impulsos. Num determinado momento a criança extravasa-os exageradamente, tornando-se irrequieta. Sua inquietude pode incomodar os adultos, bem como perturbar a tranquilidade do ambiente. Imediatamente, ela costuma ser tolhida e obrigada a se conter sob a ameaça de punição.

A força motriz é inerente ao ser humano. Ela está presente em todas as fases da vida: na infância, na adolescência e na vida adulta.

As *crianças* se tornam a principal fonte geradora dos cacoetes.

Nessa fase do desenvolvimento elas estão descobrindo os prazeres existenciais. Encantadas com as sensações agradáveis promovidas pela prática de certas atividades, empolgam-se e não querem parar de brincar. Quando são impossibilitadas de continuar a brincadeira, experimentam o "gosto amargo" dos limites impostos pelos pais.

Impossibilitadas de fazerem o que gostam e sem idoneidade existencial para escolherem livremente outra atividade prazerosa, para canalizar a impulsividade, reprimem-se.

Como ainda não desenvolveram os recursos emocionais para elaborar as frustrações, sentem-se tolhidas.

A dificuldade de elaboração interior, consiste principalmente em não saber esperar o momento oportuno para apreciar, por exemplo, outra brincadeira. As crianças são imediatistas: não admitem a possibilidade de vir a ter mais tarde ou fazer posteriormente o que apreciam. As coisas precisam ser realizadas naquele exato momento.

O único recurso de que dispõem para manifestar a sua impulsividade, quando tolhidas pelos adultos, é a teimosia. Elas manifestam sua insatisfação fazendo birras, que funcionam como uma espécie de "válvula de escape" para extravasar sua voracidade.

Além de serem impedidas de continuarem executando atividades agradáveis, também são recriminadas por reagir ostensivamente às negativas impostas pelos cuidadores. Em vez de serem orientadas a respeito dos motivos que as impedem de continuarem se divertindo, são condenadas a parar imediatamente com as birras. Esses recalques da impulsividade, podem, metafisicamente, desencadear na criança os cacoetes.

Vale considerar que a imposição dos limites é fundamentalmente importante para o desenvolvimento emocional das crianças. Por meio deles, elas começam a desenvolver elementos interiores para elaborar suas frustrações. Esses recursos internos são imprescindíveis em outras fases da vida, quando as pessoas deparam com outros tipos de limites, que as reprimem.

Enquanto criança, geralmente os pais são quem mais impõem os limites. Isso costuma ser feito de maneira terna, dado ao sentimento de amor que eles têm pelos seus filhos.

Já na adolescência, os limites são impostos por pessoas praticamente estranhas, como aqueles que fazem parte do grupo de amigos, frequentadores do mesmo ambiente; bem como pelos pretendentes a namoro, que se recusam a estabelecer um envolvimento afetivo. O jovem é tolhido de maneira implacável e friamente pelos seus colegas.

Na vida adulta, a pessoa depara com os limites provenientes das situações existenciais. Muitas vezes, torna-se impossível a pessoa executar algo satisfatório, naquele exato momento. Não existe a mínima possibilidade de ela fazer o que tem vontade. É preciso compreender esses limites e não ser mimado, a ponto de comprometer a harmonia do ambiente, por conta de um capricho. Quem age assim, são pessoas que não sabem esperar a ocasião oportuna; que não têm respeito pelos outros, tampouco consideração por quem compartilha do seu momento de vida.

Por fim, em qualquer fase existem os impedimentos. Para a pessoa ser feliz, mesmo deparando com as frustrações, é preciso ter uma boa maturidade emocional para saber lidar com os limites. O desenvolvimento dessa condição interior ocorre significativamente na infância. É quando a criança depara com os primeiros obstáculos e começa a acionar alguns recursos internos para a elaboração das frustrações; ao longo do desenvolvimento, esses recursos serão aprimorados.

**

Na fase da *adolescência* a autonomia das funções existenciais foi praticamente conquistada. Os jovens podem agir por conta própria, sem depender do auxílio de um cuidador. Eles não dependem muito da aprovação dos pais para fazerem suas coisas.

Assim, uma atividade predileta pode ser praticada quantas vezes for necessária para saciar os desejos do jovem. Caso, por algum motivo, tenha de parar de fazer algo bom, imediatamente escolhe outras situações que proporcionem elevada satisfação naquele momento. Desse modo, os jovens externam seu incitamento para a ação, canalizando seus impulsos para outra forma de prazer, evitando a repressão do entusiasmo.

O que falta para a maioria dos adolescentes é a capacidade de elaborar interiormente a sua própria impulsividade. A maioria não possui recursos emocionais para suplantar o desejo ardente, de forma a não precisar de outras atividades para compensar as frustrações. Eles não conseguem, por exemplo, guardar no "recanto de suas emoções" os impulsos prazerosos, para mais tarde, ou num momento oportuno, serem saciados.

Quando um desejo ardente invade o universo mental do adolescente, eles não conseguem exercer controle sobre esses ímpetos de prazer. São dominados por eles, tornando-se extremamente ansiosos. Necessitam de algumas atividades compensatórias para obter imediata satisfação. Essas outras formas de prazer servem como espécie de "válvula de escape" para dar vazão à sobrecarga emocional. Em virtude disso, há um aumento na intensidade e no número de vezes que praticam algo que gostam.

As variações hormonais são condições orgânicas, características da adolescência, e provocam um aumento na impetuosidade do jovem, causando uma espécie de "ebulição emocional", que manifesta impulsos desenfreados. Como não consegue dar conta dessa sobrecarga de emoções, ele pode ser levado a agir de maneira descomedida. Esse período é considerado de grande excitação pela prática daquilo que promove prazer.

Por causa da falta de habilidade para elaboração interior de suas paixões, os jovens tornam-se contestadores. Não raro, rebelam-se veementemente contra quaisquer limites impostos a eles. Principalmente no que diz respeito à repreensão da prática de atividades satisfatórias. Eles têm dificuldades para conceber a subjetividade, ou seja, que numa ocasião oportuna, poderão saciar seus desejos, bem como que a vida é uma fonte inesgotável de prazer. Portanto, poderão repetir inúmeras outras vezes aquelas atividades satisfatórias.

Parece que os jovens ainda não se acostumaram que a vida é longa e as oportunidades se renovam, possibilitando inúmeras outras ocasiões, extremamente agradáveis. Não precisam esgotar o prazer num só momento; existirão muitas outras formas de saciá-lo.

No tocante aos *adultos* eles estão numa fase em que os recursos emocionais devem estar aprimorados, favorecendo a elaboração interior das frustrações impostas pela vida.

Na fase da adolescência, os impulsos são os mesmos dos adultos, exceto pela presença dos hormônios no organismo, que se encontram em doses mais elevadas; isso intensifica as sensações, dando a eles uma impetuosidade maior. Quando são instigados por alguma atividade prazerosa, ficam tomados pela empolgação e têm dificuldade para exercerem o controle sobre suas próprias emoções.

Os adultos, por sua vez, não estão nessa fase de ebulição dos hormônios. Quando impulsionados pelo prazer, conseguem gerenciar melhor suas emoções. Contêm-se diante do que os entusiasmam, sem, no entanto, castrarem-se.

Assim sendo, a aceitação dos fatos é mais comum na fase adulta do que na juventude. Quando o adolescente é limitado por alguma impossibilidade, facilmente ele busca subterfúgios para extravasar seus impulsos. Conforme vai se tornando adulto, aprendem a lidar melhor com suas frustrações. Esse é o processo de maturidade emocional.

Esses panoramas das três fases da vida correspondem ao esperado de cada fase, não que necessariamente seja assim. Há jovens lidando muito bem com suas emoções, por outro lado, adultos, que não têm o mínimo de controle emocional. Ao se dirigir a alguém, deve ser observada a condição individual e não tomar como base, somente a fase da vida em que a pessoa se encontra.

O tique nervoso é um bom parâmetro para observação da capacidade de elaboração interior, visto que a realidade de vida vai impor limites e repressões aos impulsos das pessoas. Seja por meio de alguém ou pelas próprias conjunturas, elas serão inevitavelmente tolhidas, num determinado momento da vida. Portanto, faz-se necessário aprender a lidar com as frustrações. Redirecionar os impulsos ou elaborá-los de forma a convertê-los em força de vida e fonte de motivação existencial, em vez de suprimi-los, negando sua existência ou recalcando-os. Esse processo causa o desinteresse pela vida e a perda do entusiasmo.

Em qualquer fase da vida precisamos aprender a lidar com nossas emoções, organizá-las bem, direcionando-as de maneira proveitosa, para não esgotar os impulsos numa só atividade nem negar a sua existência, reprimindo a impetuosidade.

As pessoas que apresentam cacoetes precisam aprender a lidar melhor com as suas emoções. E quem está em volta, se quiser ajudar, não deve meramente criticar a manifestação do tique nervoso, mas sim orientar acerca de como elaborar as frustrações.

Em vez de simplesmente tolher uma criança, por exemplo, explique a ela as razões daquela proibição. Caso isso não tenha condições de ser feito no exato momento em que tiver de reprimi-la, faça-o assim que possível. Vale lembrar que sentar com a criança e conversar sobre os motivos daquela limitação, favorece o processo de elaboração interior dos acontecimentos desagradáveis.

Muitos pais preferem simplesmente impor a sua autoridade sobres seus filhos, em vez de lhes dar explicações. É mais fácil recriminar do que ficar dando explicações. Sem contar aqueles pais que não têm paciência ou extravasam na criança as suas próprias frustrações ou revoltas; isso demonstra ausência de maturidade. A falta de estabilidade emocional dos pais dificulta a educação dos seus filhos.

Obviamente, é necessário impor limites para as crianças, visto que isso fará parte da vida adulta. Mimar os filhos, sendo muito permissivo a eles, cedendo a todas as suas solicitações implica em não prepará-los para a vida adulta. Na medida em que as crianças aprendem desde cedo a lidar com as frustrações, elas terão mais chances de se tornarem adultos emocionalmente preparados para lidar com as adversidades da vida.

Portanto, os tiques nervosos apresentados pelos filhos são importantes sinais das dificuldades de elaboração das suas frustrações. Quando eles forem comportamentos frequentes nas crianças, convém aos pais reverem a estratégia de educação que adotaram para lidar com os filhos. Em alguns casos, a forma de tratar seus filhos está desencadeando os recalques.

Isso não significa que os pais tenham de passar para o outro extremo e permitirem tudo. Mas sim, devem mudar a conduta: antes de recriminarem seus filhos, observem se aquela proibição é mesmo necessária, visto que são apenas crianças e devem ser tratados como tais. Antes de tolher seus filhos, avalie bem a situação, não empregue uma ótica de adulto, mas considere as condições infantis.

Sobretudo, quando a criança apresentar seguidos cacoetes, isso serve de reflexão para os pais, no que tange às condições emocionais dos próprios pais. Será que eles estão administrando os seus problemas com relativa estabilidade emocional? Ou o elevado nível de estresse e as suas frustrações pessoais estão influenciando negativamente na maneira de educar seus filhos, projetando neles as suas próprias revoltas, dificultando o processo de elaboração das crianças?

Geralmente, os problemas dos pais repercutem de forma negativa na criança. Pode-se dizer até que, em alguns casos, os filhos pequenos são espelhos das condições emocionais dos próprios pais, principalmente no que diz respeito ao surgimento de seguidos cacoetes. Quando isso ocorre, pode estar acontecendo de os pais, em virtude do nervosismo ou falta de habilidade na educação, estarem reprimindo com muita veemência seus filhos, dificultando o processo de elaboração interior das frustrações.

Os princípios da metafísica rezam que cada um é responsável pela sua própria condição interna. A maneira como a pessoa elabora as ocorrências existenciais define o estado emocional. Os eventos exteriores não são determinantes sobre a condição interior. Assim sendo, não se deve atribuir exclusivamente aos pais as dificuldades que os filhos apresentam, no que diz respeito por exemplo à elaboração das frustrações. Mas sim, a maneira como a própria criança lida interiormente com aquilo que ela depara no ambiente ou como os adultos a tratam; mesmo enquanto crianças!

Existem crianças mais impulsivas e outras mais sossegadas. Enquanto algumas são mais fáceis de lidar, por apresentarem características de personalidade maleáveis, outras precisam de intensas repressões para aprenderem a lidar com os limites. Na verdade, não se pode julgar os pais, com base nos filhos, pois cada ser é constituído de valores internos. Assim sendo, cada um é responsável por aquilo que se torna.

De acordo com a concepção metafísica, o ambiente reflete os estados interiores; não necessariamente, causam certas condições conflituosas nas pessoas. As origens dos problemas não são exatamente as ocorrências exteriores, mas sim, a maneira como a pessoa elabora o que acontece com ela. Metafisicamente, a condição interior é latente do ser e não reflexo do ambiente em que vive.

Por tudo isso, diferentes pessoas passam pelos mesmos problemas e cada uma se constitui de uma maneira peculiar. Algumas ficam arrasadas, adoecem em decorrência dos episódios desastrosos que assolam sua realidade de vida. No entanto, outras, que passam por semelhantes confusões, conseguem manter-se relativamente bem de forma a não adoecerem em virtude dos problemas que estão atravessando.

ESTRESSE

Sentir-se desprovido de recursos interiores diante dos desafios existenciais.

Nos últimos anos o estresse tem sido amplamente estudado por vários pesquisadores. Surgiram muitas teorias, algumas até contraditórias. As definições não são objetivas, mas esclarecem uma série de sintomas do estresse.

Um dos precursores desses estudos foi o dr. Hans Selye (médico e pesquisador austríaco que trabalhava em Montreal, no Canadá, 1936). Ele é reconhecido internacionalmente como criador da teoria do estresse. Para ele, o estresse "não é uma coisa ruim, depende de como você lida com ele". A euforia para executar um trabalho importante, no qual você é bem-sucedido, é ótima. No entanto, o estresse causado pelos fracassos e humilhações é horrível. Selye acreditava que as reações bioquímicas do corpo durante as situações de estresse eram as mesmas, independentes da situação ser positiva ou negativa.

A conhecida resposta de "luta-ou-fuga" faz parte de uma das primeiras pesquisas conduzidas pelo dr. Walter Canon (fisiologista americano) em 1929. Segundo ele, quando o organismo depara com alguma ameaça, o corpo libera hormônios que ajudam a sobreviver em situações de perigo, auxiliando tanto para a luta mais acirrada, quanto para a fuga rápida.

Isso acontece também quando deparamos com situações inesperadas ou algo que frustra os nossos planos. Sempre que ficamos excitados, ansiosos e irritados produzimos os hormônios do estresse. Essa mobilização do corpo para a sobrevivência, quando acionada com frequência, tem consequências negativas. Com o passar do tempo causa efeitos nocivos sobre a saúde. Precisamos aprender a controlar nossos impulsos para poupar energia no trabalho, ser mais assertivo e reduzir os níveis de estresse.

Atualmente, o estresse é considerado algo ruim, que provoca um grande número de efeitos colaterais, bioquimicamente negativos para o organismo. Uma das definições mais aceita no presente momento é a do psicólogo americano Richard S. Lazarus. Ele afirma que o estresse é uma condição ou sentimento vivido, quando uma pessoa percebe que as exigências do meio excedem os recursos sociais e pessoais que ela é capaz de mobilizar para ser bem-sucedida.

Parte da resposta de estresse em nós é instintiva. Provoca reações imediatas ao perigo, antes mesmo de fazermos qualquer associação ou interpretação do fato. Trata-se de um mecanismo de defesa e preservação da vida.

Outra parte é condicionada pelas experiências ruins vivenciadas no passado. Elas acionam o alerta diante de situações semelhantes, fazendo com que interpretemos como ameaçadora uma ocorrência que, não necessariamente, oferece risco. O próprio pensamento pode acionar o alerta e gerar estresse, basta imaginar uma situação de risco, que a suposta ameaça é suficiente para que o organismo se comporte como se estivéssemos diante daquele evento ruim. Nesse caso, a mente é o principal estressor e não o fato, propriamente dito.

Emocionalmente, a pessoa estressada encontra-se num momento frágil da sua vida. Ela não conta com a firmeza necessária para enfrentar os grandes desafios. Geralmente não lidou, até então, com problemas tão graves nem foi submetida a sucessivas tensões.

Em alguns casos, as pessoas que se estressam facilmente diante dos desafios, são aquelas que, ao longo da vida, não tiveram que lidar com maiores dificuldades. Podem ter sido poupadas dos problemas existenciais; isso provocou a fragilidade emocional.

Por falta de estímulos dos educadores, não aprenderam a acessar seus próprios recursos, tampouco mobilizar os elementos externos para driblar os obstáculos. Quando essas pessoas precisam lidar com contratempos, elas se estressam mais do que aquelas que sempre enfrentaram sozinhas as adversidades da vida.

Isso é comum acontecer, por exemplo, com as crianças que contam com a presença e proteção constante de adultos. Sempre dispostos a intercederem a favor da criança, impedem que ela aprenda a se defender sozinha. Ao ser provocada por um coleguinha, por exemplo, em vez de resolver a confusão, ela recorre aos monitores que, por sua vez, interferem imediatamente, poupam a criança de lidar com aquele desconforto, solucionando as desavenças. Sempre que se veem ameaçados, imediatamente recorrem a um adulto.

Obviamente essa é a função dos cuidadores, no entanto, eles não favorecem o aprendizado da criança, evitam que ela mobilize os próprios recursos para sanar o problema por si só, ou mesmo, dirija-se a outros coleguinhas, aprendendo com isso a angariar recursos no meio externo.

Os pais, objetivando o melhor para seus filhos, são os primeiros a intercederem imediatamente a favor deles para poupá-los dos desconfortos e frustrações. Quando os deixam na escola, cobram da instituição de ensino uma constante vigilância e interferência por parte dos monitores e professores em qualquer dificuldade que seus filhos tenham.

Caso isso não ocorra, ficam enfurecidos com a instituição de ensino. Ao saberem que seu filho teve de enfrentar algumas dificuldades com outras crianças, sem receber o apoio ou a intervenção do professor, por exemplo, reclamam da omissão, que expôs seu filho a certas dificuldades perante o grupo de crianças.

Vale lembrar que o excesso de proteção impede a criança de desenvolver os recursos de enfrentamento. Quando forem adultos, isso contribuirá para gerar estresse, pois, ao se verem cercados de dificuldades, não saberão como resolvê-las e vão se desesperar com facilidade, desorganizando-se e perdendo o equilíbrio emocional.

Aqueles que foram criados mais livres e independentes ou, ainda, que saíram de casa muito jovens, ou que não tiveram pais superprotetores, e que desde cedo precisaram enfrentar os obstáculos sozinhos, desenvolveram melhor a sua consistência interior e, portanto, não se desesperam facilmente diante de qualquer problema. Eles possuem boa desenvoltura para lidar com os obstáculos, sabem extrair do ambiente os elementos favoráveis ao sucesso ou, mesmo, mobilizar os próprios recursos que favorecem o bom desempenho diante das dificuldades.

Se observarmos os agentes estressores, vamos notar que eles são diferentes para cada pessoa. Enquanto alguns se estressam com situações levemente difíceis, outros, somente com ocorrências extremamente complicadas. Pode-se dizer que não são exatamente os acontecimentos que estressam, mas sim, a fragilidade interna ou a falta de recursos para lidar com os problemas.

Cada um perde a estabilidade emocional diante de diferentes acontecimentos. Aquilo que estressa um, pode não estressar outro, tudo depende de como cada um se sente diante do que se passa ao seu redor.

Muitas vezes nos queixamos dos frequentes problemas que enfrentamos na vida. Reflita, será que seus problemas são tão grandes como você imagina ou seus recursos de enfrentamento é que são precários? Muitas vezes, em vez de desperdiçar energia, vibrando para que as situações melhorem, por que você não experimenta se fortalecer mais para enfrentar os desafios existenciais?

Caso eles amenizem, ótimo! Mas se isso não acontecer e os problemas não derem trégua, você terá recursos internos suficientes para manter-se íntegro diante das dificuldades. Elas não vão desequilibrá-lo tão facilmente, causando uma sobrecarga de estresse, que provoca uma série de danos à saúde.

Torne-se ágil para driblar os obstáculos, tente descobrir os meios para ser bem-sucedido. Ponha sua mente para trabalhar a seu favor, pense nas possibilidades favoráveis aos bons resultados. A visão positiva acerca das situações conflituosas favorece no descortinar de novas perspectivas, em vez de acentuar os desconfortos.

Para obter sucesso com o mínimo de estresse é necessário se fortalecer interiormente, aumentar a confiança em si mesmo, acreditar nos bons resultados; por fim, ser criativo e ousado. Também é viável buscar recursos exteriores, tais como: contar com a participação dos outros, estabelecer novas parcerias, fazer cursos de capacitação etc. Tudo isso contribui para aumentar a segurança. Quanto mais preparado você estiver, menos ameaçado vai se sentir. Além de melhorar o desempenho e diminuir as dificuldades, essas atitudes minimizam o nível de estresse.

FISIOLOGIA DO ESTRESSE

Dentre as fases fisiológicas do estresse destacam-se três: *reação de alarme, adaptação ou resistência e exaustão orgânica*.

A primeira fase, de alarme, ocorre quando interpretamos uma situação como ameaçadora. Isso aciona um estado de prontidão geral que envolve inúmeros órgãos do corpo, como se fosse um susto. Nessa fase não há reação exclusiva de um órgão em particular, várias partes do organismo são envolvidas.

A ameaça pode ser real ou imaginária, o choque é praticamente o mesmo. Basta supor um risco que o corpo reage como se aquilo fosse verdadeiro. Pode-se dizer que o simples fato de se deixar envolver por uma perspectiva desfavorável ao sucesso é suficiente para perturbar o nosso bem-estar.

Essas fantasias acionadas repetidas vezes provocam uma sobrecarga de atividades corporais. O excesso de tensão desencadeia a segunda fase do estresse.

A fase de adaptação ou resistência ocorre quando a exposição aos fatores causadores do estresse se torna contínua e persiste por longos períodos. O corpo procura se adaptar aos permanentes "bombardeios" que vem sofrendo pelas tensões, canalizando as reações a um órgão específico ou para um determinado sistema do corpo, onde os sintomas do estresse se manifestam.

Dentre as regiões de choque e os principais sintomas, destacam-se nos sistemas os seguintes: muscular (tensão e dores na musculatura), imunológico (infecções e alergias), digestivo (perturbações alimentares e queimação estomacal), circulatório (alteração dos batimentos cardíacos, variação da pressão arterial), e, ainda, a pele (manchas, psoríase) etc.

Caso o estímulo estressor seja muito intenso e persistente, gerando mais energia do que o órgão de choque é capaz de suportar no processo adaptativo, a pessoa entra na terceira fase do esgotamento e da exaustão.

Na terceira fase do estresse os mecanismos de adaptação ficam deficitários, esgotando as reservas de energias do corpo. Esta é a fase mais grave do estresse; nela os sintomas físicos se intensificam por causa da exposição prolongada aos agentes estressores.

Dentre os estímulos estressores persistentes destacam-se: a tentativa de adaptação à sociedade; o esforço para corresponder às expectativas que fazem a nosso respeito, principalmente pelos familiares; a competitividade no trabalho; as constantes ameaças e o convívio com as frustrações ou com problemas aparentemente insolúveis etc.

Quando as situações do meio exigem muito de nós, e fazemos tudo o que está a nosso alcance para corresponder à demanda e, mesmo assim, os resultados não são promissores, isso tem um elevado custo à saúde, promovendo o esgotamento mental e físico.

Durante uma fase de turbulência, que perdura por longo período, buscamos recursos internos para adaptação. Quando as instabilidades persistem, esgotando os recursos adaptativos, o estresse atinge a terceira fase. É quando os sintomas físicos são mais intensos, provocando inúmeros prejuízos à saúde.

A terceira fase do estresse é facilmente confundida com a depressão. O estado de esgotamento provoca apatia e desinteresse pelas atividades cotidianas, assemelhando-se aos processos depressivos. Essa fase do estresse não só se assemelha, como pode provocar a depressão.

Basicamente a diferença entre o estresse e a depressão consiste na permanência ou na perda do interesse pelas diferentes áreas da vida. Na depressão a pessoa não se motiva por nada, não tem o menor comprometimento com os eventos existenciais, bem como se recusa a participar de qualquer evento.

Já no estresse, apesar de esgotada, a pessoa ainda mantém os vínculos com outras atividades. Ela anseia, por exemplo, participar de ocasiões agradáveis, tais como: viajar, sair para passear, ir a uma festa, iniciar outros projetos etc. Apesar de não ter mais energia, ela tem vontade de executar atividades agradáveis. Isso é algo que o deprimido não sente.

As três fases do estresse podem ser compreendidas resumidamente por meio de uma situação fictícia. É como se ao entrar em casa, uma pessoa encontrasse na sala um animal feroz que fugiu do zoológico e estivesse pronto para atacá-la; o susto provoca um estado de alerta máximo para reagir àquele perigo. Esse estado equivale à primeira fase do estresse.

Durante os próximos dias, sabendo que, ao chegar em casa, ela vai encontrar com aquele animal na sala, a pessoa entra preparada para afugentá-lo ou se esquivar dele. Essa condição equivale à segunda fase de adaptação.

Com o passar do tempo, a pessoa introjeta aquela situação de tensão e não apresenta mais a reação de imediato susto, porém, entra em casa tensa, mesmo sem a presença do animal feroz. Sua reação física assemelha-se àquela que tinha quando deparava com o animal feroz. O constante desespero ao entrar em casa compara-se à terceira fase do estresse, a exaustão. Nessa fase a pessoa perde o interesse de voltar para casa, por causa da suposta ameaça que a aguarda no lar.

Dentre os agentes causadores de estresse destacam-se: longos períodos de doenças, fase de conquistas afetivas e/ou abalo no relacionamento; apreensão diante dos novos desafios, instabilidades profissionais ou dificuldades financeiras.

A doença é considerada um fator de estresse tanto para o doente, como para os familiares. A instabilidade que o doente vive em relação a sua recuperação ou mesmo à preservação da sua própria vida, gera uma carga de estresse, que, após superar a doença, ainda sofre os reflexos do estresse provocado durante o período de tratamento, que envolveram a convalescença ou a rotina hospitalar.

A família também sofre com a doença de um de seus integrantes. Ocorre uma reviravolta na rotina que leva os seus membros a frequentarem o hospital. Mesmo como acompanhantes, vivenciam as incertezas da recuperação do doente.

Geralmente, o nível de estresse aumenta diante das situações de risco, das incertezas e da falta de domínio sobre os acontecimentos.

Uma fase de conquista afetiva, por exemplo, gera certo nível de estresse, causado pela ansiedade em relação ao fato de conseguir ou não estabelecer um vínculo afetivo com a pessoa desejada. Esse é um estado relativamente agradável que está dentro de uma normalidade nas relações. Trata-se daquele popular "frio na barriga" que sentimos quando estamos prestes a abordar alguém desconhecido ou mesmo durante a paquera. A tensão se estende até a difícil conquista dos familiares do parceiro.

No entanto, as situações mais estressantes são as crises dos relacionamentos. A instabilidade afetiva que torna o futuro incerto, gera tensão e angústia. Quando a pessoa sente que os seus laços afetivos estão se deteriorando, isso ocasiona o estresse, principalmente, se ainda existir algum sentimento em relação ao outro.

A separação de um casal, por exemplo, é algo muito estressante. A mudança na rotina de ambos, as incertezas sobre o futuro, no que diz respeito ao fato de ter de enfrentar os acontecimentos sozinhos ou mesmo as instabilidades financeiras provocam um elevado nível de esgotamento.

O que faz um acontecimento se tornar agente estressor é, principalmente, a falta de confiança naquela área de atuação; não se sentir com recursos internos suficientes para ser bem-sucedido e tampouco ter controle sobre os acontecimentos e domínio sobre os resultados almejados. Isso propicia uma série de instabilidades emocionais, aumentando as incertezas. Esses fatores, além de elevarem os níveis de estresse, também figuram entre as principais causas metafísicas desse mal que nos consome aos poucos, comprometendo a qualidade de vida e prejudicando a saúde.

O estresse se intensifica na medida em que nos desorganizamos interiormente e nos desconectamos dos valores inerentes ao ser; simultaneamente, perdemos a fé na vida. Quando isso acontece nos tornamos dependentes dos bons resultados do meio em que atuamos. Mesmo dependendo das respostas promissoras daquilo que fazemos, não nos sentimos capazes de conquistá-las nem merecedores das mesmas. A falta de autoconsciência e de reconhecimento dos próprios potenciais nos enfraquece para lidar com as adversidades da vida, gerando elevados níveis de estresse.

A autocrítica também figura entre os principais mecanismos internos geradores de estresse. Essa atitude impede a livre fluidez, tornando as atividades extremamente exaustivas. A mania de perfeição faz com que fiquemos demasiadamente tensos durante a execução de uma tarefa, gerando a preocupação excessiva no trabalho.

Devemos ser mais complacentes com nós mesmos e respeitar os nossos limites. Desse modo, reduzimos as próprias cobranças, tornando as nossas atividades menos estressantes.

Caso não ocorra essa reformulação interior e permaneçamos focados nas nossas próprias inabilidades, além de nos cobrar, essa atitude pode desencadear a mania de perseguição, que nos faz sentir constantemente ameaçados. Agir sob ameaça é o mesmo que fazer algo sem estar preparado. Ao sentirmo-nos em desvantagem perante os outros, projetamos neles a força e o potencial que não percebemos existirem em nós mesmos. Esse mecanismo inverte a manifestação da força agressiva que, em vez de favorecer nossas ações no mundo, destrói a capacidade de sermos bem-sucedidos.

Durante esse processo podem surgir impulsos hostis em relação aos outros, tais como o desejo de boicotar as pessoas em volta, atrapalhando o bom desempenho daqueles que nos cercam. De acordo com a teoria psicanalista, esses desejos destrutivos em relação ao próximo são negados pelo consciente, passando a figurar na esfera do inconsciente. Esse mecanismo facilmente converge os impulsos destrutivos que possuímos com relação aos outros, em mania de perseguição, fazendo-nos sentir ameaçados pela hostilidade alheia. Pode-se dizer que a origem da maldade não está necessariamente nos outros, mas geralmente em nós mesmos.

Durante esse processo, encaramos qualquer evento que envolve mais pessoas, como sendo extremamente ameaçador. É como se os outros estivessem armando alguma cilada para nos prejudicar. Isso provoca certa instabilidade emocional, aumentando a carga de estresse.

Para reverter essa situação faz-se necessário resgatar a confiança em si mesmo e nos processos existenciais. Ser mais assertivo nas ações, dedicando-se àquilo que promove os melhores resultados. Para favorecer sua reformulação interior, elaboramos dez procedimentos para o gerenciamento do estresse:

1º *Evite conflitos desnecessários.* Poupe suas energias, não se envolva em confusões que dificultem o bom andamento do trabalho ou mesmo quebrem a harmonia da equipe.

2º *Respeite o trabalho do outro.* Considere o potencial alheio; se possível, elogie o bom desempenho das pessoas. Isso reverte em fortalecimento do grupo de trabalho.

3º *Reduza as suas expectativas.* As metas altas distanciam-nos da realização, provocando frustrações.

4º *Preserve a harmonia interior.* Sinta-se bem consigo mesmo e focalizado no presente. Procure compreender melhor o que o aborrece; isso evita projeções indevidas. A autoconsciência representa um significativo passo para a conquista do bem-estar, preserva a autoestima e eleva o amor-próprio.

5º *Não sofra em silêncio.* Aprenda a compartilhar com os outros os seus sentimentos. Dividir os problemas com as pessoas minimiza os conflitos e diminui a pressão interna.

6º *Aja com estratégia.* Procure o melhor momento para realizar suas tarefas. Evite transtornos desnecessários, tais como: locomover-se em horários de pico, locais muito tumultuados etc.

7º *Não ocupe todo o seu tempo livre.* Respeite os seus limites. Permita-se relaxar e repousar para recuperar as energias.

8º *Saiba dar tempo ao tempo.* Não tome decisões precipitadas. A mais sábia escolha é aquela feita no momento oportuno. Não permita que a ansiedade o projete para o futuro, tampouco que o saudosismo do passado consuma o seu direito de estar no presente.

9º *Inicie todas as atividades de maneira promissora e bem-humorada.* Comece a segunda-feira com aquele astral de véspera de feriado. O bom começo é sinal de um desempenho promissor.

10º *Acredite em você.* Invista o seu melhor naquilo que faz. Atue com empenho e convicção, mas nunca se cobre o impossível. Confie nos processos existenciais e que a vida conspira a seu favor.

BURNOUT

Perda da autorreferência na execução das atividades. Ambiente de trabalho nocivo aos funcionários.

Também conhecido como estresse laboral, *burnout* é um termo em inglês, que no sentido literal significa "queimado" ou "combustão completa". Quando essa palavra for atribuída a pessoas, sua tradução é mais compatível com "estar esgotado". Trata-se de um estudo psicológico que começou a ser feito pelo psiquiatra Herbert Freudenberguer, por volta da década de 1970, para descrever o estado de exaustão prolongada e a diminuição do interesse, principalmente pelo trabalho.

A síndrome de *burnout* é definida como uma reação à tensão emocional crônica, causada pela excessiva carga de trabalho, com o mínimo intervalo de tempo para se recuperar. São mais suscetíveis a entrarem em *burnout* as pessoas cujas atividades incluem frequentes interações com os outros, como os profissionais da área de saúde (principalmente enfermagem), os professores etc. Além dessas modalidades que são apresentadas por diversos estudos como principais causadoras dessa síndrome, existem várias outras voltadas ao atendimento ao público e prestação de serviços que oferecem semelhantes esgotamentos, podendo adoecer a equipe de trabalho desses setores públicos e privados.

Pesquisadores do assunto parecem discordar da natureza dessa síndrome. Enquanto alguns a consideram relacionada à exaustão e à despersonalização no trabalho (perda de identidade), outros atribuem-na a um caso especial da depressão clínica ou apenas à exposição das pessoas a situações de fadiga extrema.

Não se trata de um sinônimo de estresse, o *burnout* é uma resposta ao estresse crônico, ou seja, a convivência permanente com os fatores estressantes, sem que haja quaisquer perspectivas de mudanças das situações conflituosas do ambiente de trabalho.

Os funcionários são expostos a situações extremamente desgastantes, sem a mínima perspectiva de mudança no desenvolvimento das suas atividades.

Ao contrário do estresse, que é ocasionado principalmente pela maneira com que a pessoa se relaciona com o trabalho, o *burnout* deve ser associado ao ambiente de trabalho, em que a dinâmica da organização adoece os seus funcionários, enfraquecendo o potencial de produtividade da equipe.

O que leva alguém a entrar em *burnout* é um conjunto de fatores que ocorre na interação do trabalhador com as condições de trabalho, tais como a falta de instruções e de recursos necessários para o bom desempenho das tarefas, baixas remunerações, excessos de cobrança por parte dos superiores. Isso tudo submete a equipe a altos níveis de estresse. Também se inclui aqui a sensação de que qualquer esforço por parte da pessoa é em vão.

Além de não se sentir valorizado pela corporação, o funcionário esgota seus recursos de dedicação às pessoas envolvidas com o seu trabalho, e os resultados obtidos são os piores possíveis. Surge uma sensação de impotência diante dos resultados indesejáveis.

O *burnout* deve ser tratado em conjunto com as empresas, pois as intervenções terapêuticas feitas isoladamente com os funcionários, não se mostram eficientes. Mesmo fazendo um bom trabalho com as pessoas, com o objetivo de resgatá-las daquela apatia e desinteresse pelo trabalho, quando voltam às suas atividades, expondo-se às mesmas situações, elas adoecem novamente.

Para recuperar o bom desempenho de uma equipe, com alguns integrantes em *burnout*, faz-se necessário promover alterações no ambiente de trabalho, visando a qualidade de vida dos funcionários.

Atualmente, o estresse e o *burnout* não são considerados prejudiciais apenas para o trabalhador; o são principalmente para as empresas, pois afetam diretamente a produtividade. As organizações que possuem alguns integrantes das equipes de trabalho em *burnout*, despendem altos custos decorrentes das faltas, desperdício de material, acidentes de trabalho, doenças, desinteresse dos funcionários etc. Isso pode prejudicar a imagem da empresa com seus clientes, pela atuação "desastrosa" de um funcionário.

O *burnout* pode ser compreendido como produto de uma interação negativa entre o local de trabalho, a equipe e os clientes.

É diferente do estresse, em que a pessoa pode sair sozinha, mudando, por exemplo, a sua maneira de encarar os problemas, por meio de uma reformulação interior, promovendo a autoconsciência. O *burnout*, por sua vez, exige intervenções externas que englobam a ajuda de um especialista e também mudanças na dinâmica de trabalho. Nesse caso, não basta fazer um trabalho somente com as pessoas, é preciso promover algumas alterações na empresa em que elas atuam, uma vez que o ambiente de trabalho representa um significativo agente desencadeador dessa síndrome.

Esse é um ponto difícil de ser conciliado, pois a intervenção no local de trabalho esbarra na direção da organização, que geralmente não tem interesse em fazer alterações na dinâmica funcional. Geralmente, os empresários e administradores, não se dão conta do quanto aquela atmosfera de trabalho é nociva aos funcionários e quanto o prejuízo causado na equipe repercute diretamente na produtividade. Seria necessário rever as condições de trabalho para evitar os reflexos negativos sobre a equipe, gerando a desmotivação e até mesmo alguns casos de *burnout*.

Não se trata de mudanças estruturais, bastam algumas medidas simples e criativas, tais como reformular a disposição do ambiente, fazer rotatividade de funções entre os próprios funcionários, promover campanhas de incentivos à produção, cursos de especialização, reciclagem etc.

É comum nas empresas, principalmente de *telemarketing*, ser avaliada a produtividade dos operadores, por meio de gráficos que apontam numericamente a atuação deles. Geralmente, o baixo desempenho resulta em severas punições. Medidas como essas, seguidas de cobranças e ameaças, causam o estresse laboral, que compromete o envolvimento pessoal no trabalho, despertando sentimentos de desesperança, inutilidade, incapacidade etc. Essas condições exprimem o quadro de uma pessoa que está em *burnout*.

Os dirigentes do *telemarketing*, por exemplo, devem levar em consideração o fato de a produção ser resultante do bom desempenho dos funcionários, no contato que eles estabelecem com os clientes. O abalo emocional repercute negativamente no atendimento aos clientes. Como esses funcionários precisam se empenhar ao máximo para apresentarem bons resultados, eles internalizam suas chateações e indignações, provocando o desinteresse pelo trabalho.

O olhar dos analistas de telemarketing é dirigido para as máquinas que fornecem os gráficos e outras informações, possibilitando mensurar a produção. Isso praticamente desqualifica a origem daqueles números, que são obtidos pela interação entre os funcionários e os clientes ou seja, da relação entre pessoas. Não se trata de números produzidos meramente pelas máquinas, mas sim por pessoas que estão operando as máquinas ou produzindo os números que estão expostos no vídeo.

Portanto, criar um ambiente de trabalho que preserve a qualidade de vida dos funcionários, dando a eles reais incentivos, que despertam a motivação e o interesse pelas atividades, reverte em benefícios e maior lucratividade para a empresa.

Produzir uma atmosfera de trabalho de forma a favorecer o bem-estar dos funcionários, motivando a equipe, é aplicar uma espécie de "vacina laboral", que evita uma série de problemas, inclusive que as pessoas entrem em *burnout*. Isso será possível quando os empresários, administradores ou empreendedores usarem mais o bom senso na coordenação das atividades, visando a qualidade de vida dos funcionários. Isso fortalece a equipe de trabalho, resultando no aumento da produtividade.

* * *

Como vimos anteriormente a síndrome de *burnout* afeta principalmente os profissionais da área de saúde e educação. Essas duas áreas possuem certas peculiaridades que contaminam os ambientes de trabalho, gerando elementos propícios ao surgimento do *burnout*.

Geralmente o ambiente de trabalho não propicia o bom desempenho das funções. Tanto os enfermeiros, quanto os educadores sofrem com a falta de preparo ou especialização para lidarem com as adversidades da profissão. Também há escassez de recursos logísticos para o exercício das funções. Apesar disso, as atividades precisam ser realizadas de qualquer maneira. Seja o cuidado aos enfermos, no caso do profissional de saúde, ou nas aulas, que deverão ser ministradas, independentes das condições de trabalho ou do estado emocional dos cuidadores ou dos professores. Portanto, nem o despreparo, tampouco a precariedade de recursos evitam a execução das tarefas.

Apesar de tantos esforços por parte desses profissionais, os resultados do trabalho não são condizentes com a sua dedicação. Geralmente, a remuneração não está à altura do que é realizado. Além disso, no caso dos enfermeiros, os pacientes recebem alta médica e desaparecem ou pior ainda, não se recuperam ou vão a óbito. No tocante aos educadores, além da baixa remuneração e da falta de recursos, eles precisam lidar com o desinteresse de alguns alunos, o desconhecimento do método de ensino aplicado pela escola etc.

Geralmente, o sofrimento desses profissionais é decorrente do choque entre a história de vida de cada um deles, repleta de projetos, de esperanças e de desejos, que deparam com uma organização de trabalho, que ignora os anseios pessoais, bloqueando a relação homem-trabalho.

O sentimento de frustração e impotência de promover modificações no ambiente de trabalho, de forma a conquistar uma atmosfera que se aproxime das expectativas individuais em relação à profissão, representa uma fonte a mais de sofrimento para esses profissionais, gerando o estresse laboral e o sentimento de desesperança pelo trabalho.

Dentre os sentimentos geradores do *burnout*, destacam-se:

A *indignação ou desesperança*, causadas pelo desejo ardente de dedicação e colaboração com as pessoas envolvidas nas suas ações, seguidas de grandes decepções, que transformam a paixão pelo trabalho em uma atuação meramente automática.

A *inutilidade*, por não ser reconhecida a sua contribuição para a instituição, atribuindo-se pouca importância àquilo que se faz. Ou ainda, o quanto é inútil qualquer tentativa de fazer um bom trabalho. Falta de reconhecimento tanto por parte da corporação, quanto das pessoas envolvidas com o seu trabalho. Por mais que o profissional se dedique, não consegue alterar o curso da vida dos seus assistidos. Isso gera uma profunda frustração e o sentimento de inutilidade.

A *desqualificação*, tanto de si mesmo quanto dos demais colegas de trabalho. Os profissionais não se encontram suficientemente qualificados. Faltam recursos materiais ou logísticos, preparo emocional e informações adequadas para o exercício das profissões.

O *esgotamento* ou a exaustão por serem submetidos a uma sobrecarga de trabalho, sem um período de descanso suficiente pelo alto nível de estresse laboral. Mesmo quando se afastam das atividades, não conseguem se desligar das preocupações, tornando as tensões do trabalho, uma espécie de pesadelo para a sua vida pessoal.

Por fim, o *burnout* não está relacionado exatamente com o esforço físico, mas, principalmente, com as tensões e as decepções geradas pelo ambiente de trabalho, somadas às defasagens internas e ao despreparo das pessoas para realizarem suas tarefas.

Algumas empresas exageram nas exigências, sem oferecer recursos ou remuneração apropriados, levando o funcionário ao esgotamento. Essa conduta "adoece" o ambiente de trabalho, sujeitando os funcionários ao *burnout*.

No tocante à parte que nos cabe, a fim de minimizar o estresse laboral, convêm salientar que, ao longo da trajetória profissional, desconectamo-nos da nossa essência, ou seja, perdemos a originalidade e a espontaneidade, negando o próprio estilo de atuação profissional. Quando isso ocorre, surge uma sensação de vazio e um sentimento de inutilidade, comprometendo a realização profissional. Enquanto buscamos atingir nossos objetivos, perdemos a identidade, deixamos de apreciar o que fazemos e nos desinteressamos pela profissão, passando a trabalhar apenas por obrigação.

Para que o ritmo frenético do trabalho não adoeça você, colocando-o em *burnout*, é imprescindível que se permaneça centrado em si mesmo, não permitindo que as cobranças o desorganizem emocionalmente. Procure ser mais flexível na interação com as pessoas que trabalham com você, com os encarregados ou com a chefia. Afinal, a rebeldia ou as exigências excessivas de sua parte para com os colegas de trabalho, dificultam a interação harmoniosa no ambiente.

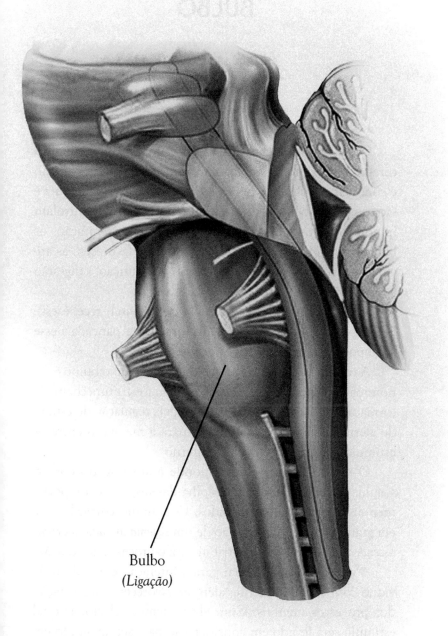

Bulbo
(Ligação)

BULBO

Atitude integradora.
Focalizar a atenção.

O bulbo está localizado na base do crânio, abaixo do cérebro e próximo ao início da medula espinhal. Sua função é conduzir os impulsos nervosos do cérebro para a medula e vice-versa. Também produz estímulos nervosos que controlam importantes funções do organismo, como a respiração, os batimentos cardíacos e os atos reflexos que favorecem as atividades involuntárias do corpo, como a deglutição, a digestão e a excreção.

A região do bulbo é chamada de nó vital; recebe esse nome porque se a pessoa receber uma forte pancada nesse local poderá morrer instantaneamente.

A região do encéfalo em que está localizado o bulbo é denominada tronco cerebral. Nele existe uma estrutura chamada formação *reticular*, que é responsável pela regulação do estado de alerta ou vigília, contribuindo para a mediação entre os estímulos externos e o mundo interno.

O estado de alerta corresponde à ativação do córtex, seguida de um processo de escolha das respostas comportamentais aos estímulos recebidos. O estímulo cortical se dá em grande parte pela projeção de um *sistema ativador reticular ascendente* (SARA), que contribui para o processo de atenção.

A atenção é algo crucial para a interação eficaz do indivíduo com o seu ambiente, além de favorecer a organização dos processos mentais. Com ela podemos selecionar qual estímulo será levado em consideração para ser analisado em detalhe. Esse processo de elaboração interna guia os nossos comportamentos.

A atenção pode ser definida como a capacidade de a pessoa responder a um estímulo em prejuízo de outros. Aquilo que for eleito como relevante, passa a sobrepor os outros acontecimentos. O ato de prestar a atenção prioriza o processamento de certas informações sensoriais, aumentando a sensibilidade perceptual do foco de interesse, ignorando os demais estímulos que não são processados.

Conforme a visão metafísica, a atenção dirigida a algo estabelece um vínculo entre nós e o que focalizamos. O alvo do foco representa uma espécie de ignição da nossa capacidade interativa e manifesta os impulsos existenciais, despertando a consciência do que existe ao redor.

A interação com o meio mobiliza os recursos internos, tais como: as faculdades mentais para interpretar as ocorrências; a seleção de comportamentos apropriados à ocasião; a força expressiva para atuar nas situações exteriores. Pode-se dizer que os fatores externos nos despertam para a vida, promovendo o aprimoramento dos potenciais inerentes ao ser.

Um programa que está passando na televisão, por exemplo, desperta nossa atenção e passamos a assisti-lo de maneira compenetrada. Os conteúdos nele obtidos são interiorizados, tornando-se informações adquiridas, enriquecendo nossa bagagem cultural, em se tratando de um documentário ou noticiário. Realça o senso artístico, se for esse o cunho do programa assistido. Ou mesmo, poderá produzir entretenimento e alívio do estresse, durante os momentos em que passamos diante da televisão.

Dessas interações entre o interno e o externo, e vice-versa, podem ocorrer algumas transformações simultâneas, tanto na pessoa que observa, quanto no objeto ou na situação observados. Ambos estão sujeitos a sofrerem algumas transições.

Seguindo o mesmo exemplo da televisão: um programa pode mudar os nossos conceitos sobre um assunto, ou mesmo nós podemos mudar de canal e, assim, alterar completamente o que está passando na televisão. À medida que há uma interação, existe a possibilidade de ocorrer mudanças.

A mudança pode ocorrer principalmente nas situações que nos rodeiam. Ao interagir com o foco de nossa atenção, vamos imprimir o que cultivamos dentro de nós. Faremos tudo o que estiver a nosso alcance para transformar as situações em volta de acordo com o que idealizamos.

Obviamente, esse procedimento transformador só será possível caso a situação permita tais alterações. Diante da televisão, por exemplo, trocamos os canais, até achar um programa que seja condizente aos nossos desejos de informação ou distração. No entanto, estamos sujeitos a uma grade de programação disponível nos canais.

Assim sendo, pode-se dizer que exercemos uma relativa influência no meio que habitamos. Não temos total poder sobre as situações que nos cercam. Toda mudança que conseguimos operar no ambiente, significa que já existia certa predisposição para ela; caso contrário, seria impossível qualquer intervenção.

Por outro lado, a atenção dirigida a algo expressa nossos próprios anseios. Vemos fora ou nos outros, o que somos interiormente. No fenômeno da atenção dirigida ao externo, estamos projetando os nossos conteúdos interiores, que estão sujeitos tanto à mutação dos valores pessoais, quanto a produzir os fenômenos alquímicos de transformação da situação que nos rodeia.

Nossos olhos enxergam o que existe ao redor; no entanto, interpretamos de acordo com nosso universo cultural. Os conteúdos interiores influenciam também na seleção do que vamos dirigir a atenção. Na maioria das vezes empregamos uma ótica sobre os eventos exteriores de forma a atender aos nossos anseios pessoais, bem como tentamos de todas as formas, adequar as situações exteriores de maneira a atender as expectativas pessoais. Quando isso não é possível, somos levados a rever os nossos valores, sujeitando-os a um processo de transformação.

Caso a condição interna seja valiosa, ela torna-se consistente a ponto de sobrepor os fatos que nos cercam, operando as devidas transformações. Já, quando a nossa concepção de vida for frágil, ela não conseguirá promover as transformações no meio, mas sim, será transformada pela interação com os episódios exteriores.

Por fim, pode-se dizer que o ato de viver promove mudanças, tanto no meio em que a pessoa habita, quanto no próprio ser, ampliando a percepção de si mesmo, bem como o aprimoramento das faculdades interiores. Não há vida sem transformação nem mudanças sem interação.

Esse processo sintetiza o estado de vigília. O sono é uma condição oposta, porém necessária para repor a energia gasta neste processo de interação e de transformação simultânea, entre a pessoa e o ambiente em que ela vive.

SONO
Ato de desligamento.

O sono proporciona a reposição das energias consumidas durante o período de atividades físicas e mentais. Reduz as atividades motoras, deprime o metabolismo, baixa a temperatura do corpo etc.

O repouso é uma alternativa vital da atividade cerebral. Durante o descanso, ocorre a reprogramação do sistema nervoso. Em virtude da reduzida estimulação da mente, são feitas as principais organizações das informações colhidas durante o dia.

Nos aspectos emocionais, dormir contribui significativamente para amenizar a ansiedade. As pessoas que repousam bem, têm menos propensão a serem ansiosas.

Dentro de uma concepção metafísica, dormir requer uma atitude de desprendimento e liberação das atividades cotidianas, principalmente dos fatos inusitados, geradores de preocupação. O descanso só ocorre quando a pessoa despoja-se das preocupações existenciais.

É preciso confiança em si mesma, e também nos processos existenciais, para soltar a vida e deixar as coisas acontecerem. Somente depois do sono, no dia seguinte, a pessoa retoma as atividades de coordenação dos acontecimentos.

Confiar em si é acreditar ser capaz de dar conta das exigências das situações, sentir-se com recursos internos suficientes para atender a demanda de atividades pertinentes aos nossos afazeres. Afinal, as ocorrências exteriores são compatíveis ao nosso limite de suporte. Melhor dizendo, tudo o que assumimos ou nos acontece, está na justa medida de que temos suporte emocional para tolerar. A visão metafísica comunga com um dito popular: "Deus não dá o fardo maior do que podemos carregar". Os desafios são proporcionais a nossa capacidade de resistir a eles.

Quando a pessoa não se sente boa o bastante para dar conta dos acontecimentos é porque ela não tem consciência da sua própria força: está negando os seus atributos, que precisam ser enaltecidos e não abandonados. A lembrança das vitórias obtidas, dos ideais alcançados e da competência expressa nas atividades anteriores elevam as qualidades interiores, reforçando a confiança em si mesmo.

Como foi dito anteriormente, para despreocupar-se e relaxar para dormir faz-se necessário, também, uma porção de fé nos processos existenciais. Conceber, por exemplo, a existência de uma força superior ou proveniente da natureza depende da fé de cada um, regendo os acontecimentos cotidianos, como se esses mecanismos etéreos ou divinos, conspirassem a nosso favor, possibilitando a realização do que almejamos.

Quem confia solta, não se torna prisioneiro das preocupações, tampouco exagera na presteza e dedicação. O empenho excessivo e o uso de força desnecessária demonstram falta de segurança e de fé.

INSÔNIA

Não dar trégua ao sofrimento.

A insônia é caracterizada pela dificuldade de começar a dormir e/ou ter uma boa noite de sono, prejudicando o desempenho da pessoa durante o dia. Para ser considerada insônia crônica primária, faz-se necessária uma frequência nos episódios superior a um mês. Antes disso são consideradas perturbações passageiras do sono ou quadros isolados de insônia, que são decorrentes dos eventos do dia, sejam aqueles extremamente desagradáveis, sejam aqueles que causam felicidade eufórica, ou, ainda, os que despertam a ansiedade por importantes situações que estão por acontecer; todos eles podem comprometer a qualidade do sono.

No tocante à insônia primária, ela pode ser provocada por longos períodos de tensão; por preocupações excessivas e até por autoprogramação, isto é, a pessoa acredita que não dorme direito. Nesses casos, quando se dorme num outro ambiente (fora de casa), consegue-se descansar melhor, visto ter saído do cenário que já ficou impregnado de inquietações noturnas.

Também existe a insônia provocada por alguns fatores orgânicos, tais como: problemas pulmonares, cardíacos e estomacais; asma, dor de cabeça etc. E ainda, alterações do mecanismo neurológico ou hormonal, que regulam o sono, tornando-o fragmentado.

Outras causas de insônia são os agentes externos, como a ingestão de substâncias tóxicas, estimulantes, distúrbios alimentares, problemas no ambiente, como barulho, falta de higiene etc.

Um grande número de pessoas passa boa parte da noite "em claro", ou seja, com os olhos bem abertos, independentemente de sofrer de insônia. Em algum momento da vida, todos podem ter o sono perturbado em virtude de alguma fase difícil ou de momentos de grandes expectativas.

Geralmente, numa crise de insônia, a pessoa vivencia uma espécie de "avalanche" de pensamentos, algumas vezes desconexos, outras com as lembranças dos eventos ruins ou, ainda, excessos de preocupações com as situações futuras. A mente é invadida por essas lembranças que se tornam perturbadoras, ocupando os momentos de repouso, comprometendo a qualidade do sono.

Além desses fatores emocionais, existem os apelos da modernidade para que fiquemos cada vez mais tempo acordados. Muitos consideram que dormir é perda de tempo, pois podem fazer coisas durante a noite que, antes, só eram possíveis durante o expediente diurno. Nos grandes centros, existem os mercados 24 horas; bancos dia e noite, com acesso pela internet, pode-se consultar o saldo, fazer movimentações etc.

Alguns aproveitam os instantes que antecedem o sono para colocar em dia os seus e-mails. A programação noturna da televisão melhora cada vez mais, atraindo a atenção do telespectador; a presença do aparelho no quarto pode causar estímulos que atrapalham "pegar no sono"; para alguns, no entanto, a TV ligada facilita começar a dormir.

Esses e tantos outros recursos da modernidade invadem os momentos do descanso, prejudicando as horas de sono. Mas essas condições não estão diretamente associadas às causas da insônia. Para algumas pessoas esses recursos modernos servem para distraí-las durante as crises de insônia.

No âmbito metafísico, os diversos tipos de insônia, inclusive aquelas crises momentâneas, refletem o estado interior de dificuldade de desprendimento das situações do cotidiano. A pessoa não confia suficientemente nela própria para desprender-se dos episódios desagradáveis ou das situações difíceis do dia a dia. Tampouco consegue vencer suas expectativas em relação ao futuro.

Dentre as principais causas da insônia, destacam-se as preocupações excessivas com os acontecimentos cotidianos. Esse quadro é agravado pela sensação de despreparo para driblar os obstáculos e a falta de fé nos processos existenciais. A pessoa teme o pior e não se sente emocionalmente fortalecida para sanar as confusões, nem capaz de suportar as demandas diárias.

As incertezas e os medos ficam reprimidos na hora em que a pessoa precisa enfrentar os problemas, mas quando ela se recolhe para o descanso, toma contato com esses sentimentos que foram contidos. Isso intensifica as preocupações, comprometendo a qualidade do sono.

Para o bom andamento da situação, depois de fazermos as intervenções necessárias durante o momento em que estamos diante dos fatos, é necessário manter certo distanciamento, a fim de que o processo se encaminhe dentro de um fluxo, independentemente da nossa interferência. Façamos o que estiver ao nosso alcance, mas somente na hora em que estamos diante das ocorrências, depois seriam preocupações inúteis para o andamento da situação. Geralmente, a lembrança noturna de um problema, torna-se obsessão que provoca insônia.

Permanecer extremamente ligado às ocorrências, além de atrapalhar o andamento da situação, demonstra falta de confiança em si e no processo existencial. E, ainda, prejudica o sono.

* * *

Outro fator que deve ser levado em consideração é a dificuldade que a pessoa tem de enfrentar os problemas na hora em que eles estão acontecendo, ou seja, durante o dia. Essa atitude pode ser considerada um mecanismo de *fuga da realidade*. Ela gera um excesso de preocupação no momento de repouso, atrapalhando o sono.

O fato de estarmos fora do cenário e no aconchego da cama são condições favoráveis para relembrar o ocorrido e também pensar a respeito da situação.

Essa mesma atitude poderia ter uma conotação positiva de reflexões e conscientização dos processos existenciais, não fosse algo que tirasse o sono. Nesse caso, a pessoa preocupa-se demasiadamente com o ocorrido por sentir-se incapaz de agir diretamente na situação. Assim, só se envolve com as ocorrências desagradáveis quando está longe dos fatos, refugiada na segurança do lar e no amparo da sua cama.

Dessa forma, uma condição que poderia representar um importante momento de reflexão, revela-se como dificuldade de enfrentamento; consequentemente fuga da realidade.

A falta de habilidade e de firmeza interior para lidar com os problemas pode levar à negação do que a desagrada. A pessoa perde a autorreferência diante dos momentos difíceis. Ela não sabe o que cabe a ela própria e o que diz respeito aos outros.

Em alguns momentos, assume tudo para si, como se tivesse de dar conta de todas as adversidades; com isso fica atemorizada e recorre à negação e ao esquecimento. Só consegue lidar com o ocorrido mentalmente, nas horas em que deveria estar dormindo. Quando tem de agir, esquiva-se, negando enfrentar o problema.

Outras vezes, recusa-se terminantemente a assumir qualquer responsabilidade sobre os fatos. Algumas pessoas se põem completamente à parte dos acontecimentos. Desqualificam-se para intervirem nos momentos difíceis, mas, ao mesmo tempo, não conseguem se desprender das preocupações geradas pelo ocorrido.

Esses tipos de atitudes demonstram negação e fuga e dificultam a coordenação dos acontecimentos ruins, que levariam ao desencadeamento das soluções. Pode-se dizer que *quanto mais distante a pessoa se põe dos fatos, menor a chance de solucionar seus problemas.*

Por outro lado, manter certo distanciamento da problemática, amplia a visão da situação, favorecendo a identificação das respostas necessárias ao desfecho das confusões. No entanto, manter-se distante das ocorrências por muito tempo pode levar à indiferença, à falta de envolvimento e de cumplicidade, que, por sua vez, dificultam o encaminhamento das soluções.

É preciso fortalecer-se para enfrentar as adversidades impostas pela vida, parar de fugir ou negar os fatos nocivos do ambiente. Ser mais corajoso e destemido, menos complacente e mais ativo.

Vale lembrar que a vida proporciona os meios para a nossa intervenção na realidade; as situações exteriores conspiram a favor da nossa interação com os fatos, só falta a nossa disposição para agir. E sermos mais precisos em relação aos momentos apropriados para fazer aquilo que cabe a nós.

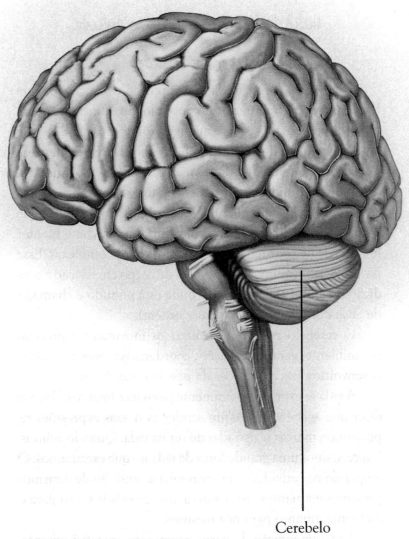

Cerebelo
(Coordenação)

CEREBELO

Habilidade de manifestação no ambiente.

O cerebelo é a segunda maior porção do encéfalo. Está localizado na parte inferior do encéfalo. Sua função consiste em coordenar os músculos e manter o tônus muscular. Regula a postura e o equilíbrio corporal. É responsável pela destreza e senso de lateralidade. Mantém a precisão dos movimentos, possibilitando todas as atividades motoras.

Compara os movimentos pretendidos com aqueles que estão sendo realizados, para uniformizar a marcha e manter habilidade de coordenação das funções mais complexas. Esse processo de organização da posição do corpo em relação à condição do ambiente ou do solo onde está pisando é chamado de *taxia* dos movimentos (*taxis* = ordem).

O cerebelo possibilita realizar os movimentos precisos no ambiente, garantindo ações coordenadas, bem como boa desenvoltura nas expressões da pessoa no ambiente.

A vida se expressa basicamente pelos movimentos. Pode-se dizer que agir é viver. Assim sendo, as nossas expressões representam marcas registradas do ser na vida. Quando agimos, impregnamos uma grande força de vida no que executamos. O empenho nas atividades proporciona a sensação de estarmos presentes e atuantes, coroando a arte de existir tanto para o ambiente, quanto para nós mesmos.

A movimentação do corpo representa, metafisicamente, uma das maiores referências das nossas habilidades expressivas. Por meio dela, alcançamos o êxtase da manifestação das qualidades inerentes ao ser.

Agir significa por em prática a nossa fonte de vida. O empenho no que realizamos possibilita, não somente a manifestação dos potenciais internos, como também um exercício para desenvolver os nossos talentos.

Pode-se dizer que os outros não são os maiores beneficiados com as atividades que praticamos, mas sim, nós, que as realizamos.

Quando fazemos alguma coisa por alguém, temos a impressão de que os privilégios são apenas para os outros, mas na verdade, os maiores beneficiados somos nós mesmos. Ao realizarmos determinadas tarefas, sentimo-nos fortalecidos na certeza de que podemos executá-las com habilidade.

Os resultados materiais dos trabalhos realizados, com o tempo se diluem, ao passo que os recursos internos, angariados durante a execução das tarefas, ficam permanentemente como habilidades desenvolvidas. O aprendizado obtido pelo que realizamos, ninguém tira de nós, ele dura para sempre.

A experiência torna-se um atributo do ser, que o fortalece emocionalmente, proporcionando segurança, independência e liberdade.

Quando uma pessoa experiente depara com as adversidades da vida, sente-se fortalecida para encarar as dificuldades. Não depende exclusivamente dos outros; ela recorre às suas faculdades internas, em vez de buscar, imediatamente, alguém que a ajude. Primeiro ela faz o que pode, de acordo com o que é capaz. Caso não consiga resolver sozinha, aí sim, busca auxílio; porém, antes de recorrer aos outros, esgota as suas próprias possibilidades de solução.

Por outro lado, não estamos em busca de uma autossuficiência; ao contrário, compartilhar com os outros é algo extremamente agradável. No entanto, a própria relação se desgasta quando ficamos dependentes das pessoas que nos cercam, tornando-a nociva para o aprimoramento pessoal. Qualquer dificuldade que aparece, recorremos imediatamente aos outros, sem tentar resolver os problemas por nossa conta. Esse comportamento impede nosso aprimoramento e transforma um bom relacionamento em um obstáculo do progresso individual.

O que faz uma relação ser saudável é o fato de as pessoas permanecerem uma ao lado da outra, porém, com autonomia, cada uma fazendo sua parte, sem estabelecer vínculos de dependência umas das outras; apoiando-se, primeiro em si mesma, para depois compartilhar seus feitos com o outro, ou mesmo pedir ajuda.

Uma pessoa idônea preserva a independência, que, por sua vez, representa um fator primordial para a liberdade, consequentemente para a felicidade.

* * *

Sobretudo, a realização de uma atividade é válida por si só, independente do resultado obtido. A sensação de estar vivo e atuante, bem como a experiência angariada por meio dos afazeres já oferece um benefício a quem atua.

Obviamente, atingir as metas é o principal vetor das nossas ações. No entanto, precisamos aprender a considerar válidas outras respostas obtidas de uma tarefa, mesmo que não sejam aquelas que nos moveram à prática da referida ação. Caso contrário, ficaremos frustrados, visto que nem sempre os resultados obtidos são compatíveis aos objetivos iniciais.

Tudo o que almejamos pode ser um dia alcançado. As conquistas não ocorrem na hora pretendida, tampouco da maneira que julgamos correta. A dedicação aos objetivos desenvolve os meios internos, consequentemente, externos para atingirmos as metas. Esse processo é extremamente enriquecedor, pois promove o exercício das habilidades, aprimorando o ser.

* * *

Aquele que se apropria indevidamente do que pertence ao outro, seja por meio de manobras escusas, traições, seja tomando de assalto o que foi conquistado pelo outro, perde a chance de aprimoramento. Em primeira instância parece que ele está levando vantagem pelos ganhos imediatos, no entanto, está perdendo a chance de desenvolver suas habilidades, por meio do exercício das funções necessárias para a conquista dos bens ou dos pertences de que se apropriou. O que parece fácil de se obter, por já ter sido conquistado por intermédio dos outros, na verdade, dificulta o aprendizado e também impede o aprimoramento pessoal. Aquele que lesa o outro está, na verdade, boicotando-se.

Isso ocorre em diversos níveis, desde os mais intensos e complexos, como os golpes ou assaltos, até os níveis mais simples do cotidiano, tais como levar vantagem sobre os outros.

Pobre daquele que para ter algo precisa tirar de quem conquistou graças à dedicação nos seus afazeres. Também é lamentável para aquele que perde algo que foi fruto do seu empenho. Como na metafísica não há vítimas, mas sim sincronismo existencial, que corresponde na íntegra ao padrão interior, aquele que é lesado, não se apropriou daquilo que conquistou. Apesar de ter obtido as coisas, não se sente merecedor daquele privilégio ou capaz o bastante para ter ganhado o objeto. Essa atitude atrai o evento do assalto; pode-se dizer que a pessoa não se apropriou do que conquistou; por isso perde.

Na sincronicidade do padrão entre quem lesa e quem é lesado destacam-se as seguintes características: aquele que furta, aspira pela posse do objeto a ser furtado, e até se sente merecedor, mas não se considera suficientemente hábil para conquistar, pela sua própria força de trabalho. Ele vai em busca de tirar de alguém, que tem "nas mãos" aquilo que ele deseja se apropriar. Esse, por sua vez, ganhou com o trabalho, mas não se apropriou do que conquistou.

Portanto, quando alguém é assaltado ou prejudicado de alguma forma com perdas, seja de dinheiro, objetos ou bens, isso significa que essa pessoa se sente boa para desenvolver as respectivas tarefas, mas não se valoriza pelo que faz. Também não se julga merecedora dos privilégios materiais ou financeiros que angariou no trabalho. Isso pode ocasionar a atração de alguém que venha a causar algum tipo de prejuízo.

Esse padrão, antes de causar qualquer dano, como os apresentados, costuma gerar o apego aos bens. Quanto mais apegada a pessoa for, menos posse, no sentido de apropriar-se emocionalmente do objeto, a pessoa tem. Pode-se dizer que aquele que se apega não tem a verdadeira posse; caso tivesse, não se sentiria tão ameaçado de perder.

Geralmente, as pessoas com essas características de comportamento são as que atraem alguém que as lesa ou de alguma forma, perdem aquilo que tanto prezam.

Pode-se dizer que quanto maior o apego, menor as crenças no mérito. Quem se valoriza e acredita ser merecedor não fica neuroticamente vigilante; "solta-se um pouco mais", minimizando as preocupações e o medo de perdas, pois acredita que se aquilo que lhe pertence, se for, outro melhor virá.

No tocante aos níveis mais simples que se referem às situações rotineiras que compõem o cotidiano, as pessoas que gostam de levar vantagem sobre os outros, tais como passar a frente dos outros que estão na fila, parar o carro em locais que impedem a passagem de outros carros ou em fila dupla, não têm bem definido, emocionalmente, qual o seu real espaço no ambiente em que vivem. Precisam extrapolar, para se sentirem com maior amplitude no meio em que atuam.

Algumas pessoas são insensíveis àquelas que as cercam. São exclusivistas e desinteressadas pelo que acontece a sua volta. Só dão atenção quando o fato lhes desperta algum interesse.

Não ampliar a visão de forma a não identificar as pessoas e os acontecimentos em torno de si, atuando como se tivesse usando um *antolho* (espécie de viseira que restringe o campo de visão) demonstra falta de habilidade de expressão, de respeito a si e, consequentemente, ao próximo. Além do mais, essa atitude conspira a favor do insucesso, evitando a obtenção dos resultados promissores.

Para ser bem-sucedida, a pessoa precisa ter habilidade de manifestação, inclusive com aqueles que a cerca. Sem essa amplitude de olhar, dificilmente a pessoa consegue "emplacar" os resultados promissores.

TRANSTORNO BIPOLAR DO HUMOR

Instabilidade emocional e falta de sustentação interior.

Estudos recentes do comportamento humano classificaram os temperamentos que migram subitamente de um extremo para o pólo oposto como transtorno bipolar do humor.

As características sintomáticas observadas nesse transtorno revelam-se em forma de comportamentos alternados entre depressão e euforia, associados à irritabilidade; ataques de fúria, agressividade e acesso de raiva; impulsividade e dificuldades nos relacionamentos com a família, no trabalho e também com os amigos. No tocante à sexualidade, observa-se um intenso apetite para o sexo.

Dentre os principais sintomas destacam-se: depressão com humor irritável; agitação física e/ou mental (psicomotora), inquietação que se alterna com apatia; mania de grandeza e necessidade de aparecer e ser o centro das atenções, seguidas de ataques de inadequação; pensamentos desgovernados, isto é, pensar em várias coisas ao mesmo tempo. Esse estado ansioso leva as pessoas a lidarem com os acontecimentos de maneira exacerbada, tornando-se num determinado momento intensas, veementes e até agressivas. Imediatamente, passam para o pólo oposto, comportando-se de maneira tímida, indiferente e deprimida.

Dentre as hipóteses levantadas como causas do transtorno bipolar, destaca-se a hereditariedade, ou seja, o histórico familiar de outros membros da família com quadros semelhantes. Também é apontado o uso abusivo de medicamentos estimulantes, álcool etc.

Surge com mais frequência na infância e na adolescência. É quando o jovem apresenta ataques prolongados de raiva ou agressividade; essas reações são conhecidas como uma espécie de tempestade comportamental.

Comecemos a compreender os aspectos metafísicos, desde o surgimento mais frequente do transtorno, na juventude. Os jovens acometidos pelo transtorno bipolar são inconstantes e emocionalmente instáveis. Ora se superestimam, achando-

-se os maiores do mundo, ora comportam-se como se fossem insignificantes perante o grupo.

Isso pode acontecer na transição entre a fase de criança e a maturidade. Ao ultrapassarem as barreiras do lar, no início do processo de socialização (na adolescência), os jovens perdem a referência familiar que tinham conquistado. O lugar que ocupavam na família não se transfere para a sociedade. Eles precisam recomeçar um movimento de conquista de espaço e de identidade social, consequentemente, profissional. É quando a insegurança se acentua, podendo causar reações extremistas, de súbita variação de humor.

A irreverência muito comum entre os jovens é um reflexo da frustração causada pela falta de espaço na sociedade. O fato de alguns jovens apresentarem uma exagerada irreverência, chegando a ser agressivos, esboça a falta de mobilidade deles, por exemplo, entre os amigos. Como mecanismo de compensação, querem se impor perante os outros e se supervalorizar.

Mas instantes depois, diante de pequenas frustrações, retraem-se, comportando-se de maneira melancólica e deprimida. Esses estados são característicos da baixa resistência emocional do jovem e provocam a intolerância às decepções.

Apesar do surgimento do transtorno bipolar de humor ocorrer com mais frequência desde a juventude, é na fase adulta que isso fica mais evidente. Ou pelo menos, é quando ocorre tal diagnóstico.

Os adultos com sintoma de transtorno bipolar de humor costumam exagerar na imposição das suas vontades, geralmente esboçando comportamentos hostis e excedendo na agressividade de forma a causar espanto naqueles que os rodeiam.

É muito difícil conviver com essas pessoas: elas são inconstantes nas reações. Nunca se sabe qual comportamento esperar delas diante das situações inusitadas. A forma como vão reagir é sempre uma surpresa, a cada hora esboçam uma reação diferente.

Repentinamente passam a agir de maneira oposta: isolam-se, mergulhando numa súbita apatia e depressão. Essas variações de comportamento são comuns nas pessoas que sofrem do transtorno bipolar do humor.

Passa-se de eufórico para apático em fração de segundos. A apatia revela o seu limite de realização existencial e a falta de se apropriar da sua condição de vida.

Num determinado momento elas apresentam-se de maneira audaciosa e destemida, altiva e determinada; logo em seguida isolam-se, numa nítida expressão de temor e covardia. As inconstâncias nos comportamentos refletem o descontrole psíquico e emocional. A velocidade dos pensamentos dificulta exercer controle sobre si mesma, de tal maneira que nem a própria pessoa consegue se compreender ou mesmo se tolerar. Fica difícil organizar-se interiormente para agir com coerência no meio externo.

Quando estão ativas, costumam se vangloriar e supervalorizar-se perante os outros. Volta e meia fazem sua propaganda, enaltecendo o seu desempenho. Julgam-se exímias, focalizando os méritos e suas conquistas, usando-os como modelo de sucesso. Não raro, humilham os outros, inferiorizando-os ao compará-los a si mesmas, enfatizando as situações em que foram bem-sucedidas naquilo que fizeram.

Esse mecanismo refere-se a um comportamento de autoafirmação. A pessoa enaltece o seu desempenho, sem ser tão prática tampouco eficiente, quanto se julga. O seu grau de satisfação é baixo, pois nem sempre realiza os seus projetos de vida. As expectativas acerca de si mesma e em relação aos outros ou mesmo sobre os resultados, são muitas. Obviamente, os resultados não são condizentes com o que foi almejado.

De si mesmas, cobram a perfeição, dos outros, que eles sejam exímios no que lhes foi delegado; no tocante aos resultados, esperam o melhor. Como a realidade dos fatos não corresponde aos seus anseios, frustram-se. E, por não saber lidar com as decepções, deprimem-se com frequência.

As pessoas que sofrem do transtorno bipolar, são intensas no que fazem. Principalmente quando a situação é prazerosa, elas têm dificuldade de se controlar, facilmente cometendo exageros. Não sabem lidar com limites; todas as vezes que são barradas, vivenciam elevados níveis de frustração. Como não têm fibra para lidar com elas, desesperam-se e vão para o outro extremo, deprimindo-se.

Nos momentos de euforia, cobram muito das pessoas que as cercam, exigem dos outros o que elas próprias não são capazes de fazer. Faltam-lhes a persistência e a tenacidade para concretizar seus intentos.

Vale lembrar que as habilidades para a realização bem desenvolvida tornam a pessoa eficiente e isso, além de reduzir as cobranças dos outros, dispensa o excesso de autopromoção sobre as obras realizadas.

As pessoas com transtorno bipolar de humor, não zelam pelo seu bem-estar interior, geralmente desprezam suas emoções. Focalizam exageradamente as situações externas, dando mais valor aos outros do que a si mesmas e se comportando de maneira hostil nos momentos de pico da agressividade. A ofensa é um mecanismo ambivalente de atacar aqueles que são significativos na sua vida. O autoabandono, além da agressividade, pode provocar a depressão, que é um reflexo da anulação de si, perante os outros.

Para reverter esses processos de alteração súbita de comportamento, com pico de agressividade ou de depressão, é necessário não se incomodar tanto com as opiniões alheias, dedicar-se mais na realização dos seus objetivos, ser eficiente, determinado e não viver em função da aprovação dos outros.

Deve-se organizar os pensamentos, pois a dificuldade em manter uma linha de raciocínio é pior do que a oscilação de humor.

Procure se fortalecer emocionalmente. Desenvolva um suporte psicológico para enfrentar as frustrações. Deixe de ser tão melindroso. Aceite as pessoas do jeito que são e a realidade da forma que se apresenta.

Reduza as expectativas. Compreenda que tudo acontece no seu devido tempo e em proporções suficientes para a ocasião. Não adianta esperar muito de um momento apenas, nem querer que aconteça logo o que se anseia.

Ao preservar essas atitudes torna-se, metafisicamente, possível fortalecer as emoções e conquistar a estabilidade do humor.

* * *

Como até o momento ainda não existem procedimentos objetivos para o diagnóstico do transtorno bipolar de humor, tais como baterias de testes ou exames clínicos que o acuse, isso dá margem para equívocos nos diagnósticos, principalmente a apropriação indevida desse termo por parte do senso comum, que geralmente o usa de forma indiscriminada.

Não se pode confundir o transtorno bipolar, por exemplo, com o gênio forte, com o mau humor, com a intolerância e até com a agressividade. Essas características de personalidades não devem ser rotuladas, tampouco, generalizadas. Ao fazer isso, estaremos reduzindo a complexidade da estrutura de personalidade apenas a um rótulo, pois, apesar desses comportamentos assemelharem-se ao transtorno bipolar, esses traços de personalidade possuem aspectos específicos que, na sua essência, são diferentes.

Esse procedimento de rotular acaba estigmatizando as pessoas. Provoca reflexos negativos na constituição da própria personalidade e dificulta os relacionamentos e a socialização. Deixa significativas marcas no desembaraço da pessoa diante do grupo a que pertence. Tudo o que ela esboça é imediatamente interpretado como característico do rótulo empregado a ela. Consequentemente, despreza o valor de algumas ações, por não admitir a hipótese de que determinado gesto pode ser autêntico.

Existe uma característica peculiar no bipolar que favorece a diferenciação com outros fatores de personalidade. Trata-se da permanência dos sintomas de variação súbita de humor, que se estende por muito tempo, e geralmente está presente desde a infância. Pode-se dizer até que a pessoa foi sempre desse modo.

Já, quando isso ocorre numa determinada fase da vida, pode estar associado a algumas ocorrências momentâneas; e não necessariamente tratar-se de transtorno bipolar. Traumas ou algum acontecimento difícil que a pessoa esteja atravessando na vida, podem abalá-la profundamente, gerando a variação de humor.

Caso não exista algum evento negativamente marcante na vida da pessoa e ela começa a variar o humor, isso pode estar relacionado com alterações hormonais, pois taxas elevadas ou muito baixas de hormônios, principalmente da glândula tireoide, causam variações do humor. Nesse caso, convém procurar um médico endocrinologista para averiguar as taxas de hormônios.

Vamos entender um pouco algumas características de personalidades que são confundidas com o transtorno bipolar, conhecer o significado de alguns desses comportamentos, e principalmente, as diferenças entre eles e o transtorno bipolar de humor.

A agressividade, por exemplo, é uma condição facilmente confundida com o transtorno bipolar. Pessoas que se irritam com facilidade e apresentam picos de explosões são semelhantes àquelas que possuem o transtorno. No entanto, o que difere são os comportamentos subsequentes. O bipolar se deprime, com isso nega ou foge dos reflexos gerados pela suas ações, enquanto as pessoas agressivas enfrentam os reflexos negativos causados pela sua hostilidade.

As pessoas de natureza agressiva dificilmente oscilam o comportamento, são continuamente intensas e determinadas. Na verdade, estas são as verdadeiras características daqueles que muitas vezes são considerados agressivos. Eles são firmes, austeros, convictos e até geniosos, não necessariamente hostis ou estúpidos, como às vezes são injustamente tachados.

Geralmente as manifestações agressivas não são aleatórias. Elas refletem algumas condições específicas, tais como a repressão e a limitação. Esses são fatores que podem gerar a hostilidade em algumas pessoas, principalmente naquelas que naturalmente são geniosas ou intensas no que fazem. Para elas, sentirem-se reprimidas por alguém ou limitadas por alguma situação de vida são fatores que propiciam manifestações hostis.

As pessoas que facilmente "explodem", comportando--se de maneira grosseira, quando são contrariadas, não têm "tato" para lidar com aqueles que estão a sua volta. Falta-lhes habilidades nas relações interpessoais. Por esse motivo, agem impulsivamente, sem considerar os reflexos de suas ações, tampouco respeitando aqueles que estão a sua volta.

Essas pessoas precisam ponderar melhor suas ações, valorizar mais a presença dos outros na sua vida e principalmente respeitar mais os semelhantes e a si mesmas.

Por outro lado, aquelas que alternam agressividade com docilidade, têm consciência do valor das relações interpessoais e afetivas. No entanto, não têm um bom controle sobre si. Geralmente projetam nos outros as causas das suas frustrações. Não conseguem assumir suas próprias limitações, falta-lhes, além do autocontrole, certa humildade para reconhecer suas inabilidades.

São pessoas que surpreendem com as atitudes dóceis e até bajuladoras, inclusive para com aqueles que acabaram de ofendê-las com suas grosserias. Agem movidas pela culpa de terem sido demasiadamente hostis; alternam o comportamento, passando de agressivo para singelo. Elas, porém, não se isolam, sentindo-se melancólicas e deprimidas, como fazem os que possuem o transtorno bipolar.

Essas pessoas, que apenas variam seu humor, têm consciência dos exageros cometidos e possuem a firmeza necessária para encarar os abalos provocados no relacionamento. Elas buscam os meios de reparação para reconquistar a estabilidade que foi "quebrada" pelos seus exageros.

Ainda que algumas vezes seu esforço seja em vão, pois a palavra dita nos momentos de discussão não pode ser apagada da lembrança de quem foi ofendido, a pessoa se mobiliza para isso, utilizando-se de alguns meios afetivos, tais como a docilidade, sendo extremamente solícita e concedendo privilégios para reparar suas hostilidades. Movida pela culpa, ela faz uma série de concessões.

Os indivíduos que convivem com ela, aprendem a lidar com esse aspecto da personalidade. Alguns até tiram proveito do funcionamento emocional dessas pessoas. Eles sabem que, depois de um momento de grosseria, serão bajulados. Só que esse estilo de relacionamento deixa sequelas, por causa das grosserias, que enfraquecem os laços afetivos, prejudicando a relação.

As pessoas que apresentam o transtorno bipolar de humor, devem ter consciência do significado de suas reações, compreender, por exemplo, o que as levam a se comportarem de um jeito desagradável, para poderem se reformular interiormente, transformando os seus pontos fracos em fatores emocionalmente bem elaborados. A estabilidade emocional adquirida por meio do autoconhecimento, possibilita o autocontrole, evitando a frequente oscilação de humor.

TRANSTORNO OBSESSIVO--COMPULSIVO (TOC)

Falta de confiança em si.
A pessoa cria fantasias trágicas e obriga-se a cumprir alguns rituais.

O TOC é um transtorno mental e de ansiedade, que se apresenta em forma de alterações do comportamento, com a presença de rituais, compulsões, repetições e evitações, tais como não tocar em algo ou evitar certos lugares. Também ocorre como perturbações mentais em forma de dúvidas obsessivas ou demasiadas preocupações, acompanhadas de fortes emoções: medo, aflição, desconforto, culpa e depressão.

A principal característica é a presença de obsessões: pensamentos e imagens que invadem a mente, gerando impulsos ansiosos, sensações de desconforto, ocasionando as compulsões ou rituais. Os comportamentos ou atos mentais voluntários e repetitivos são realizados para minimizar as aflições que acompanham as obsessões.

As ideias obsessivas não são simplesmente medos exagerados e persistentes relacionados a problemas reais da vida da pessoa, mas sim, preocupações estranhas, impróprias e sem fundamentos, que invadem a mente de forma perturbadora. Apesar de serem absurdas ou ilógicas, causam ansiedade, medo e aflição. A pessoa tenta resistir ou ignorar essas ideias, mas não consegue livrar-se delas. Ao realizar os rituais, as compulsões ou evitações, buscam uma maneira de anular essas perturbações mentais.

Dentre as obsessões mentais mais comuns, destacam-se: preocupação excessiva com limpeza, repulsa de sujeira, medo de germes e contaminações; ideia fixa em relação à simetria, exatidão, ordem, sequência e alinhamento; necessidade em armazenar, poupar, guardar coisas inúteis ou economizar demasiadamente; pensamentos, imagens ou impulsos de ferir, insultar ou agredir outras pessoas; palavras, nomes, cenas ou músicas repentinas e indesejáveis; medo de doenças ou excesso de zelo com o corpo.

No TOC as obsessões são seguidas de compulsões, que visam a extinguir os pensamentos dominantes, por meio de regras que devem ser seguidas sistematicamente.

Compulsões são comportamentos repetitivos, como lavar as mãos, fazer verificações etc., ou seja, aquilo que é realizado metodicamente. Elas também podem ser meramente psicológicas, como repetir mentalmente palavras ou frases, cantar, rezar etc. Esses e outros comportamentos ou manifestações mentais são destinados a suavizar os desconfortos causados pelas obsessões. Eles visam a prevenir o acontecimento de alguma cisma que persegue a pessoa.

Ainda que seja impossível acontecer o que a pessoa cismou, e mesmo as medidas preventivas sendo subjetivas, é uma maneira que ela encontrou para minimizar a sua ansiedade.

Geralmente as preocupações que afligem as pessoas com transtorno obsessivo-compulsivo, não têm fundamento, mas dificultam o desenvolvimento das atividades existenciais. Elas acreditam, por exemplo, que a não realização de uma tarefa ou de um ritual poderá provocar algo ruim.

O transtorno obsessivo-compulsivo pode manifestar-se em qualquer momento da vida. A fase crítica é por volta dos quarenta anos. A maioria dos adultos com TOC relata que os sintomas tiveram início desde a infância, principalmente na adolescência, e foram acentuados no início da vida adulta, por volta dos vinte anos.

Aprendemos a conviver com os medos e as preocupações que fazem parte do nosso dia a dia tomando certos cuidados. Essas medidas cautelosas, tornam-se sistemáticas, podendo ser repetidas algumas vezes ao dia. Dentre os comportamentos metódicos destacam-se: fechar a porta antes de se deitar; lavar as mãos antes das refeições ou depois de usar o banheiro; evitar usar toalhas de mão ou rosto que já foram usadas; não tocar com a mão o trinco do banheiro público; verificar periodicamente o saldo bancário etc.

Alguns desses comportamentos ou outros semelhantes fazem parte dos hábitos rotineiros da maioria de nós. Enquanto eles forem meras preocupações ou esquisitices, estarão dentro de uma relativa normalidade. Entretanto, quando se tornarem excessivamente repetidos, sendo praticados inúmeras vezes e em curtos espaços de tempo, causarem aflições, comprometerem o desempenho existencial e do trabalho, isso configura o que chamamos de obsessões ou compulsões. Eles representam sintomas característicos do TOC.

Para esclarecer melhor a variante entre os comportamentos sistemáticos, que permanecem apenas como excentricidade do transtorno obsessivo-compulsivo, selecionamos alguns exemplos fornecidos pela ASTOC (Associação Brasileira de Síndrome de Tourette, Tiques e Transtorno Obsessivo-Compulsivo):

Limpeza: *é TOC* quando uma pessoa tem que lavar as mãos 100 vezes por dia, até elas ficarem vermelhas e em carne viva; um adolescente que só sai do chuveiro depois de se ensaboar e enxaguar exatamente 41 vezes, atrasando-se para os compromissos escolares. *Não é TOC* lavar as mãos infalivelmente antes das refeições e/ou uma garota gastar 20 minutos lavando e cuidando dos seus cabelos todos os dias.

Checar: *é TOC* fechar a porta por meia hora todos os dias antes de sair; averiguar inúmeras vezes se o interruptor está na posição de desligado, mesmo a luz estando apagada. *Não é TOC* conferir algumas vezes se as portas e janelas estão fechadas antes de dormir e/ou examinar se a luz está apagada ao sair de um recinto da casa.

Colecionar: *é TOC* guardar jornais sem nenhum assunto de interesse e sem sistema de arquivamento ou busca e/ou um jovem colocar os fósforos usados na caixa, para evitar um incêndio. *Não é TOC* investir o tempo livre e as economias para sua coleção e/ou o jovem recobrir as paredes do seu quarto com pôsteres do time ou cantores favoritos.

Organizar: *é TOC* gastar horas para colocar em ordem alfabética todos os itens do armário da cozinha ou necessitar organizar todas as roupas por cor; não conseguir fazer nada antes do cadarço estar amarrado simetricamente. *Não é TOC* um profissional que não sai do escritório antes da mesa e gavetas estarem organizadas ou gostar de arrumar as mercadorias na prateleira do comércio onde trabalha.

Após ter feito a distinção entre o transtorno obsessivo--compulsivo, as corriqueiras manias e as obsessões mentais, vamos compreender os aspectos metafísicos relacionados a cada um.

Na metafísica, o que caracteriza uma pessoa com TOC é o fato de ela não conseguir eliminar os pensamentos obsessivos com os seus recursos interiores. Precisa realizar uma série de rituais que englobam ações sistemáticas para se libertar das perturbações mentais, ou seja, agir compulsivamente.

Aqueles, porém, que não dependem da execução desse cerimonial para se despojar dos pensamentos obsessivos, possuem uma condição emocional suficientemente boa para resgatar a harmonia interior. As suposições absurdas que se infiltram na consciência, perturbando a paz interior, são neutralizadas com os próprios recursos, sem depender dos rituais compulsivos para se libertarem das teias da mente.

Ninguém está isento das obsessões, mas cada um tem seus recursos internos para minimizá-las. Enquanto esses recursos derem conta de neutralizar as perturbações que assediam a mente, a pessoa não desenvolve a dependência das práticas metódicas.

Uma maneira de superação dos pensamentos intrusos é a positividade. Ela representa um pólo energético oposto às obsessões. Quando as suposições de que algo ruim pode acontecer invadirem sua mente, procure pensar positivamente para gerar uma força contra a suposta tragédia. Você pode se beneficiar, por exemplo, com o poder das cores que agem no campo energético. O violeta é uma cor com a propriedade de transmutar as energias nocivas. Assim, portanto, visualizar essa cor, envolvendo as situações de suposto perigo, favorece a superação mental e energética dos pensamentos intrusos.

Por exemplo, ao estacionar o seu veículo e ter a impressão de que ele poderá ser roubado, além de tomar os cuidados preventivos, é claro, você pode imaginar o violeta protegendo-o. Essa medida tanto traz conforto para a sua mente, quanto, principalmente, boas energias para afugentar a negatividade que está invadindo sua consciência.

Algumas pessoas quando têm uma impressão ruim, de acordo com a sua crença religiosa, pedem proteção aos anjos, a um santo ou mesmo a Deus, e encontram conforto e serenidade nesta conexão com as forças "espirituais". Esse ato de fé possui grande valor energético e auxilia a despojar-se das perturbações mentais.

Quando a perturbação for intensa, gerando ansiedade, como imaginar um acidente envolvendo a própria pessoa ou um ente querido, isso pode levá-la a realizar ações ritualísticas ou mentalizações sequenciadas, tais como orar em silêncio, mentalizar frases positivas, mantras ou qualquer ritual de fé, condizentes com as suas concepções religiosas. Da mesma forma, pode-se fazer certas ações ritualísticas como bater na madeira; tocar num objeto de fé, seja num crucifixo, num santo, numa pedra de cristal etc.

Quando tudo isso for praticado como forma de amenizar as angústias causadas por um pensamento obsessivo, utilizamos os recursos internos para administrar manifestações conscientes. Melhor dizendo, a pessoa possui recursos que servem de apoio, proporcionando-lhe alívio das tensões internas e serenidade.

O fato de recorrermos aos recursos místicos ou religiosos para suavizar nossas angústias, causadas pelo mau presságio, é um procedimento considerado normal.

No entanto, quando a pessoa depender da execução sistemática do ritual para evitar o acontecimento, como se o não cumprimento desses rituais fosse causar a tragédia, essa crença desencadeia as ações compulsivas, caracterizando o transtorno obsessivo-compulsivo.

A pessoa cria uma dependência dos rituais. Só se sentirá segura quando os praticar de maneira sistemática. A atribuição de elevado valor aos gestos ritualísticos define a falta de consistência própria. Gera a dependência que leva ao fiel cumprimento de todo detalhe ritualístico para neutralizar os pensamentos dominantes. Só assim ela consegue afugentar os fantasmas interiores.

Essa dependência dos rituais escraviza a pessoa, tornando-a extremamente metódica. Ela acaba mergulhando cada vez mais nas ações ritualísticas, e quase não sobra tempo para os compromissos existenciais. As pessoas com esse transtorno estão em constante subjugo, ora das obsessões mentais, ora das práticas dos rituais compulsivos. Restam poucos espaços para o exercício da autonomia existencial. Falta-lhe idoneidade interior que seria conquistada por meio de um autocontrole.

Para controlar os pensamentos e suplantar os fantasmas interiores, sem a vasta demanda das ações ritualísticas, seria necessária uma grande estrutura psicoemocional. A pessoa teria que conseguir um elevado nível de superação, buscar forças em si mesma e resgatar o poder interior. Teria de deixar de ser controlada pelos pensamentos dominantes e dependentes dos mecanismos desenvolvidos para eliminar as perturbações mentais.

Lembrar os momentos agradáveis vividos ou imaginar algo bom que está por acontecer, como uma bela viagem, contribui para um resultado favorável a ser alcançado. Desse modo, afugentamos os pensamentos nocivos que se instalam na mente.

Esse procedimento conduz ao que podemos chamar de "*desidentificação*", onde a pessoa se põe a pensar mais em algo bom do que a remoer as possibilidades ruins. Equivale a não se identificar com os maus presságios, a ser indiferente à ideia fixa e a cultivar em sua mente aquilo que lhe proporciona bem-estar. Essa atitude promove a confiança em si mesma, resgata a crença nos potenciais inerentes ao ser, reduzindo as infiltrações dos pensamentos negativos; além disso, diminui a necessidade de executar ações ritualísticas.

Uma pessoa que se torna exageradamente sistemática, não confia em si mesma. A falta de confiança em si promove a busca de referências externas, tais como querer dar conta de todos os detalhes para que nada dê errado; realizar minuciosamente cada procedimento; dar muita importância às opiniões dos outros. Como ela se apoia nas situações externas, torna-se metódica para se sentir segura.

Para reverter esse processo, faz-se necessário resgatar a fé em si mesmo e/ou nos processos existenciais. Isso permite melhor percepção de si, favorecendo a identificação das situações ao redor. A pessoa consegue contemplar todo o cenário, em vez de ater-se apenas a alguns detalhes e ficar presa às minúcias, que geram os pensamentos obsessivos.

À medida que a pessoa se sente mais segura e acredita mais em si e na vida, liberta-se das compulsões obsessivas. Ela deixa de se ater aos detalhes e consegue interagir com a realidade, de maneira mais global e menos específica.

Assim sendo, os detalhes não tomam mais aquelas proporções grandiosas, que antes possuíam. A pessoa consegue, a partir de uma visão mais ampla da situação, fluir melhor na vida, sem ficar "patinando" com as ações obsessivas e compulsivas.

* * *

Esse distúrbio do comportamento também é gerado pela falta de habilidade para integrar o conjunto de fatores do meio em que a pessoa vive. Ela se atém a uma minúcia, desconsiderando o restante das situações. Basta um detalhe para ela construir em sua mente uma situação monstruosa. Com base nessa tragédia imaginária, obriga-se a praticar uma sequência de ritual. Acredita que se não executar o que elegeu como a única forma de evitar a tragédia, ela se concretizará.

Da mesma forma que um detalhe das situações em volta é suficiente para construir mentalmente uma série de acontecimentos, a pessoa cria a necessidade de realizar um pequeno gesto para impedir os acontecimentos trágicos. E, ainda acredita que, se não fizer aquilo, poderá causar muitos danos a si e aos outros.

A pessoa torna-se escrava das ações obsessivas, que visam evitar tragédias. Não consegue se ver livre das pequenas obrigações impostas sobre si mesma. Precisa fazer alguma coisa, ainda que seja um pequeno gesto, pois isso é suficiente para diminuir as angústias causadas pelas suas cismas. As suas ações promovem conforto e tranquilidade interior. Não basta apenas pensar positivo, é necessário fazer algo de concreto, para que tudo dê certo e nenhum mal aconteça.

A falta de consistência interior leva a pessoa a restringir sua ótica da situação e também a depender das práticas de rituais obsessivos. Não consegue considerar outros aspectos da realidade, senão se ater aos pequenos detalhes. Tampouco é capaz de selecionar os bons pensamentos e nutrir essas perspectivas favoráveis ao bem-estar.

Quando a pessoa consegue enxergar toda a situação para depois tirar suas conclusões, pode-se dizer que ela parte do geral para o específico. Essa atitude, dentre outras coisas, evita as conclusões precipitadas. As pessoas, porém, que se comportam obsessivamente, são aquelas que se apegam a um detalhe e, baseadas nele, tiram todas as suas conclusões. Sua visão de mundo é oposta ao exemplo anterior; vai do específico para o geral.

As principais diferenças entre essas duas maneiras de ver o mundo é que, na primeira, a pessoa enxerga os fatos, depois tira suas próprias conclusões. Isso permite angariar mais elementos antes de se concluir algo. Na segunda, a pessoa só vê um detalhe, portanto, extrai poucos elementos para tirar suas conclusões. Agindo assim, ela cria em sua mente possibilidades totalmente absurdas, sem a mínima chance de se tornar real.

Cria fantasias que a atemorizam, distanciando-a da realidade. No entanto, a obsessão por determinado ritual faz com que ela fique presa ao meio, pelas compulsões. Pode-se dizer que, se não fossem suas próprias obsessões, a pessoa perderia o contato com as situações em volta. Assim sendo, concluímos que a obsessão representa um meio que a pessoa encontrou para manter-se próxima aos acontecimentos. A prática dos rituais, por sua vez, tornou-se uma maneira de minimizar os medos e os sofrimentos causados pelas fantasias desastrosas.

O desafio para essa pessoa é interagir com o meio sem ater-se aos detalhes, fazendo uma série de suposições trágicas. Não se ater aos detalhes para tirar suas conclusões, e visualizar amplamente as situações enriquece a visão de mundo.

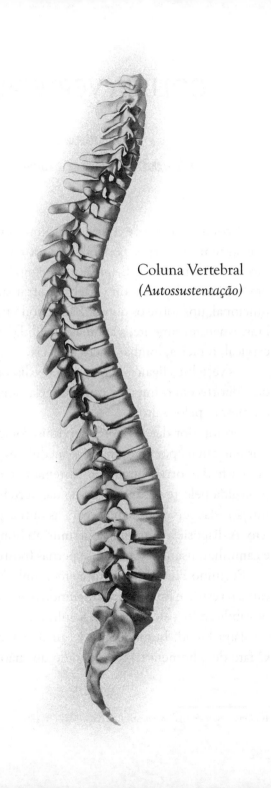

Coluna Vertebral
(Autossustentação)

COLUNA VERTEBRAL

Postura de vida.
Fundamentação interior e autorreferência.

A coluna vertebral é considerada uma obra de engenharia que sustenta o corpo, possibilitando a realização dos mais diversos movimentos. É um eixo corporal constituído por um conjunto de ossos ou vértebras, arranjados de maneira funcional, uns sobre os outros. São ao todo trinta e três vértebras. Anatomicamente, a coluna é dividida em cinco regiões: cervical, torácica, lombar, sacro e cóccix.

As vértebras ligam-se entre si pelos discos de cartilagens, que amortecem o impacto causado pela caminhada, corrida ou mesmo pelos saltos.

No interior das vértebras cervicais, torácicas e lombares existem canais por onde passa a medula espinhal. Essa nobre parte do corpo humano (o sistema nervoso central) fica protegida pelo revestimento ósseo das vértebras. Além dessa função, elas servem de apoio para as outras partes do esqueleto. A disposição anatômica permite ao homem ficar em pé e caminhar, usando somente as pernas (postura bípede).

Segundo Freud[10], a postura ereta simboliza um fato marcante na espécie humana, distinguindo o homem dos animais, possibilitando a ele, organizar a cultura.

Para Freud, humanizar-se é sair da condição instintiva. O fato de o homem ter-se levantado do chão e adotado uma

---

10. O *mal-estar da civilização*, volume XXI, 1930, p. 120.

postura ereta fez com que houvesse uma desvalorização dos estímulos olfativos e a predominância dos estímulos visuais. A exposição dos órgãos genitais na postura bípede gerou vergonha e constrangimento. Esses sentimentos provocaram o desvio dos objetivos sexuais, transformando esse instinto, que antes era puramente tempestuoso, em impulsos inibidos.

Assim sendo, os impulsos que antes eram somente genitais, tornaram-se sentimentos constantes e afetuosos, possibilitando ao homem constituir novas famílias. A inibição dos impulsos genitais promove as relações amistosas entre as pessoas, estabelecendo os laços de amizade.

A civilização impõe restrições à sexualidade. Com isso, absorve grande parte da energia do homem, que é canalizada, por exemplo, para as tarefas cotidianas e para as relações interpessoais.

Ao levantar, o homem modificou seus impulsos, podendo dirigi-los para outras áreas da vida. Os impulsos deixam de ter uma manifestação puramente instintiva e passam a dar significado às situações existenciais.

Essas especulações teóricas de Freud, do desvio das forças instintivas do homem, por causa da postura ereta, contribuem para fundamentar a concepção metafísica da coluna.

Essa parte do corpo, metafisicamente, representa um eixo de sustentação interior, permitindo que a pessoa direcione suas forças às situações ao redor. A postura ereta permite encarar os acontecimentos frente-a-frente, proporcionando sentimentos de igualdade perante os outros. Nessa posição, obtém-se a sensação de confiança e altivez para lidar com as adversidades da vida. Favorece o melhor uso da própria força, ampliando a chance de ser bem-sucedido na realização dos objetivos.

Sentir-se bem consigo mesmo é fundamentalmente importante para a constituição da postura da pessoa diante das ocorrências do ambiente. Assim sendo, voltar a si, antes de se expor ou de lidar com as situações difíceis, aumenta a firmeza interior, evita recorrer imediatamente aos outros, na busca de apoio e segurança.

Praticamente, todos possuem faculdades internas e/ou experiências suficientes para dar conta dos seus desafios. No entanto, quando as pessoas se encontram diante dos obstáculos, muitas recorrem aos outros em busca de opiniões para sentirem-se seguras antes de agirem. Esse hábito de buscar referências externas torna-se praticamente um vício. Geralmente dá-se mais atenção aos palpites dos outros do que às suas próprias sensações. Esse comportamento enfraquece a pessoa, prejudicando o autoapoio.

Para se fortalecer interiormente, procure dar conta das suas próprias incumbências, dedicando-se a solucionar os seus problemas, sem ficar na dependência dos outros nem à mercê da sorte. Proporcione a si mesmo aquilo que você esperava de fora ou dos outros. Seja independente e livre para agir nas mais variadas situações.

Existem alguns atributos interiores metafisicamente relacionados à coluna vertebral. Dentre eles destacam-se: autorrespeito, autoapoio e dignidade. A preservação deles colabora para a saúde dessa importante parte do corpo humano.

Para tanto, faz-se necessário permanecermos sempre ao nosso lado. Ser o nosso maior aliado, mesmo quando as ações não revertam no sucesso esperado. Compreender a nós mesmos, tanto na hora em que estivermos agindo, quanto naqueles momentos de reflexão sobre o que fizemos. Ainda que constatemos não termos tido um bom desempenho, não devemos nos arrepender a ponto de nos autoagredir pelos insucessos e ser implacáveis para conosco mesmos.

É importante saber reconhecer as próprias qualidades, bem como identificar as dificuldades, dispondo-nos a aprender com os outros o que for necessário para o nosso aprimoramento pessoal. Melhor dizendo, ter a humildade para admitir as próprias falhas, sem negar nossos pontos positivos.

Do mesmo modo que fomos confiantes para agir, temos de ter a honradez de voltar atrás e admitir os próprios erros. Sem fazermo-nos de vítimas para os outros. Mas, sim, mostrarmo-nos dispostos a acertar, sem ferir ninguém, nem nos desrespeitar.

Tanto os nossos impulsos desejosos nos levam para o externo, quanto as necessidades externas ou de subsistência instigam-nos a interagir com o ambiente, por meio da realização de tarefas. Sejam os motivos internos ou as necessidades externas, somos levados a interagir com o meio. Graças a essa interação, manifestamos o nosso potencial na realização daquilo que é necessário à sobrevivência e ao bem-estar.

Por fim, mesmo resistindo à manifestação espontânea no meio em que vivemos; as situações exteriores exigirão a nossa participação. A vida é uma constante troca; o isolamento completo é praticamente impossível. Somos impulsionados a agir, tanto pelas nossas vontades, quanto pelas necessidades existenciais ou vitais. Por meio desses processos, desenvolvemos os nossos potenciais e conquistamos melhores condições materiais.

POSTURA CORPORAL

Cervical _____
(Pensar)

Torácica _____
(Sentir)

da 11ª Torácica
à 2ª Lombar _____
(Assumir)

Lombar _____
(Fazer)

Região Sacral _____
(Fluir)

POSTURA CORPORAL

Posicionar-se favorável a si mesmo.

A postura corporal revela o estado interior. A posição do corpo é uma manifestação dos sentimentos. Existem algumas posturas que demonstram certas condições emocionais, predominantes na constituição interior. Ao mesmo tempo em que a posição do corpo revela esse universo emocional, ela também interfere nele, podendo alterar certos estados desagradáveis. À medida que estamos nos sentindo de uma determinada forma, posicionamo-nos de maneira condizente. No entanto, podemos interferir a qualquer momento nesse estado emocional, mudando a posição do corpo. As alterações posturais influenciam nas emoções. Pode-se dizer que a posição do corpo, tanto reflete o que sentimos, quanto representa um caminho para o mundo interior, promovendo alterações emocionais.

A postura *ereta* é um reflexo do bom posicionamento da pessoa perante o meio em que atua. Representa a vontade de interagir com os outros, numa condição de igualdade. Reflete a dignidade para consigo mesma e respeito aos outros. Essa postura condiz com a preservação das faculdades interiores, apresentadas anteriormente.

E ainda, coragem e determinação são importantes atributos desta postura. Ela reflete a segurança e integridade diante dos desafios. Quando a pessoa é sua própria aliada e permanece ao seu lado, sente-se em condições de corresponder às exigências do meio.

* * *

Postura *extremamente* ereta, com peito estufado para fora e cabeça inclinada para cima, reflete necessidade de aprovação dos outros; compensação da fragilidade interior e autoafirmação. O exagero na postura reflete um sentimento oposto àquele que o corpo apresenta. Em vez de altivez, conforme o corpo demonstra, o sentimento é de inferioridade.

As pessoas que se comportam dessa maneira não admitem errar. Elas têm dificuldade para admitir certas verdades apresentadas pelos outros, principalmente quando se opõem às suas próprias concepções de vida. Não voltam atrás nas decisões tomadas; resistem em abrir mão daquilo que escolheram.

Para melhorar essa postura, faz-se necessário nivelar o sentimento com o comportamento. Melhor dizendo, abaixar um pouco a "crista" e promover a autoestima.

* * *

Postura *arcada* ou inclinada para a frente e para baixo, demonstra inferioridade, falta de coragem e determinação diante dos obstáculos.

Essa posição corporal reflete um sentimento de desigualdade perante os outros. A pessoa não se sente suficientemente boa para dar conta dos desafios impostos pela vida.

Ao mesmo tempo em que se põe numa condição inferior, seu corpo se inclina para baixo, demonstrando a dificuldade para impor seu ponto de vista ou executar as tarefas escolhidas. Reprime-se facilmente, negando sua força de ação. Sente-se desprovida de recursos internos e sem condições externas, apropriadas para ser bem-sucedida nas suas ações.

Mudar a postura e ficar com a cabeça erguida e peito para fora promove uma sensação de igualdade em relação às pessoas em volta, favorecendo a integração com a realidade. Ao adotar essa nova atitude, por meio da posição do corpo, isso contribui para melhorar o estado emocional e promover sensações agradáveis perante os outros.

Enquanto essa nova conduta não estiver implantada emocionalmente, precisamos ficar vigilantes à postura do corpo. Quando isso estiver bem consolidado em nós, automatizamos a postura. Naturalmente, permanecemos altivos interiormente e bem posicionados fisicamente.

* * *

Por fim, a coluna vertebral fornece apoio físico e sustentação emocional ao ser. A saúde dessa região reflete uma boa condição interior para lidar com os desafios do cotidiano. Precisamos estar bem interiormente, antes de nos expor ao meio.

Quando alguma parte da coluna apresenta um problema, significa metafisicamente que estamos negligenciando algum talento. Ou seja, sentindo-nos enfraquecidos emocionalmente na hora de agir.

REGIÃO CERVICAL E PESCOÇO (CERVICALGIA)

Interação do pensamento com os acontecimentos.
Preservação dos próprios pontos de vista.

O formato das vértebras cervicais permite os movimentos para cima e para baixo e a rotação da cabeça. Essa região cervical[11] desempenha a função de sustentar e girar o crânio, expandindo a visão por mais de 180 graus.

O significado metafísico dessa parte do corpo é o discernimento entre os pensamentos e aquilo que se passa em volta. Isso permite que estabeleçamos uma relação amistosa com o ambiente, sem negar os nossos pontos de vistas, tampouco perder o contato com a realidade externa.

Ponderação e comedimento são atributos metafísicos relacionados à região cervical: agir sem precipitações; saber esperar os momentos propícios para pôr em prática as suas decisões, sem ansiedade; confiar nas suas próprias escolhas, a ponto de manter-se seguro, sem depender dos bons resultados, tampouco do aval dos outros.

Nem sempre é possível pôr em prática as nossas decisões. Ou ainda, os resultados de nossas ações podem não ser promissores. O mais importante é não perder a confiança no poder de escolha e na capacidade de tomar decisão.

Saiba lidar com as suas formulações mentais, de maneira a não transformá-las em meras fantasias, que não podem ser

---

11. Imagem na página 206.

colocadas em prática. Assuma o direito de tentar realizar o que você concebeu acerca de uma situação. Estar certo ou não é irrelevante para o padrão metafísico da região cervical; o que importa aqui é exercer o seu direito de escolha.

Além dessas construções mentais, a identificação e interação com as situações ao redor são fatores metafísicos relacionados à região cervical. Isso implica mapear o ambiente, conscientizar-se das ocorrências externas, vincular-se aos acontecimentos, sem mudar o foco principal dos nossos interesses para fugir dos problemas.

Mediante as condições do meio, alguns pontos de vista poderão sofrer alterações. O que não se pode é gerar conflitos entre as construções internas diante das adversidades que surgem na realidade. É importante manter um relativo equilíbrio; não se desorganizar mentalmente nem extrapolar nas ações.

Dentre as atitudes nocivas para a região cervical, destacam-se: buscar referências no passado para preservar alguns pensamentos incabíveis no presente; imaginar ansiosamente as possibilidades futuras, tirando o foco do presente; ou mesmo, negar os fatos, para não ter de alterar a maneira de pensar; não ter flexibilidade para acatar as novas verdades. Essas são as principais atitudes geradoras de conflito que poderão afetar a região cervical da coluna.

Ser inflexível em relação ao que se pensa, dificulta o aprendizado e a amplitude da consciência. As nossas concepções mentais devem ser comparadas aos acontecimentos exteriores e alguns pontos podem ser alterados, enquanto outros são reforçados. Isso não implica perda de identidade nem falta de fidedignidade a si mesmo. Ao contrário, essa interação com o mundo aprimora o universo mental, ampliando a visão de mundo. Aprende-se muito quando se permite olhar em torno e admitir a existência dos fatos.

A interação harmoniosa com o meio, tanto contribui para o desenvolvimento pessoal, quanto beneficia aqueles que estão em volta. As nossas intervenções no meio colaboram para o bom andamento da situação. Além disso, há sempre um ganho nessa participação no ambiente: seja a sensação prazerosa de sentir-se útil, consequentemente valorizado, seja a sabedoria angariada na experiência de vida. Pode-se dizer que tudo é válido para quem sabe interagir sem abandonar-se, tampouco resistir ao novo.

DOR NO PESCOÇO (CERVICALGIA)

Difícil aceitação da realidade.

É comum a presença de dor na região do pescoço, causada pelo estresse e depressão. Esses estados emocionais refletem-se nos músculos acima dos ombros, causando contrações contínuas. A contratura muscular da cervical pode provocar dor de cabeça, que pode ser acompanhada de tonturas e zumbidos no ouvido.

As causas mais comuns das dores no pescoço são: comprometimento das vértebras, causado por processos de artrose; comprometimentos articulares, que diminuem ou dificultam os movimentos (espondilose); posturas e inflamações.

Nos casos de hérnia de disco na cervical, a raiz do nervo é pressionada, irradiando a dor para o membro correspondente.

Dentre os problemas mais graves que afetam o pescoço destacam-se os traumas provocados por acidentes, geralmente de automóveis, nas colisões de frente. A cabeça é projetada à frente com alta velocidade, em seguida, volta bruscamente. Chamado de "chicote", esse impacto pode ser fatal ou deixar sequelas graves. O uso do cinto de segurança diminui o impacto, provocando apenas uma distensão muscular.

Um dos fatores metafísicos das dores no pescoço é a pessoa não saber lidar com as frustrações, geradas pela impossibilidade de constituir na realidade externa o que criou internamente.

O universo racional é muito ativo nas pessoas que sofrem desses ataques súbitos de dores. Elas constituem modelos mentais bem definidos e fazem muitas expectativas sobre as situações ao redor. Tornam-se rígidas para consigo mesmas, consequentemente, exigentes com aqueles que as cercam.

Um comportamento muito frequente nas pessoas que sofrem de dores no pescoço é o de assumir responsabilidade demasiada sobre o que acontece ao seu redor. Essa condição metafísica está relacionada a um problema específico dessa região: o torcicolo[12].

Elas permanecem ligadas a tudo o que se passa, não conseguem desligar-se dos acontecimentos, tampouco se despreocupar. Estão sempre pensando no que pode acontecer e como evitar as ocorrências desagradáveis. Geralmente, suas hipóteses são ruins. Costumam imaginar o pior, aumentando o grau de preocupação e ansiedade acerca das condições externas.

São pessoas centralizadoras, que adotam uma posição estratégica e querem dar conta de tudo. Com isso, preocupam-se demasiadamente com o andamento das coisas. Dedicam-se ao

---

12. Para saber mais, consulte: *Metafísica da Saúde*, volume 3, p. 131.

meio para garantir o melhor resultado. Quando algo sai errado, culpam-se pelos insucessos, que, às vezes, são dos outros e não propriamente seus.

Também são muito relutantes para acatar o novo, não sabem lidar com as situações inusitadas. Preferem que tudo aconteça conforme o previsto, assim conseguem manter certo controle sobre os fatos, evitando as surpresas desagradáveis. Quando algo foge ao estabelecido, a pessoa se abala e vivencia intensos conflitos emocionais.

Para reverter esses padrões, metafisicamente nocivos para o pescoço, desenvolva a habilidade de interagir com o meio de maneira mais sensorial ou afetiva. Seja menos racional. Não premedite os acontecimentos, tampouco programe todos os seus passos nem o dos outros. Caso os resultados não sejam exatamente como o previsto, saiba lidar com as adversidades, sem se frustrar ou ser relutante.

Renda-se aos mecanismos existenciais e aceite o sincronismo dos acontecimentos. Mesmo que os fatos sejam alheios aos seus anseios, existe algo de valioso nas diferenças; aprenda a admirar as diversidades.

Seja menos premeditado e mais espontâneo. Aprenda a delegar aos outros e confiar neles. Isso reduz suas preocupações, minimiza o estresse e evita os males do pescoço, colaborando para o alívio das dores dessa região.

TORÁCICA

Liberdade de ser e capacidade de assumir-se.

A região torácica[13] também é chamada dorsal. Ela é composta de doze vértebras. A sua capacidade de movimento é menor, se comparada às regiões cervical e lombar. As vértebras torácicas são as que apresentam maior consistência; a probabilidade de elas se desgastarem é menor, pois, nessa região estão inseridas as costelas.

Metafisicamente, a região torácica é o ponto central do eixo de sustentação interior. Refere-se à base do apoio em si mesmo. Para lidar bem com os acontecimentos externos, são necessárias boas estruturas de personalidade, estabilidade emocional e elevada autoestima. A falta desses atributos dificulta o bom relacionamento com o meio.

Permanecer centrado em si mesmo, saber definir o que diz respeito a si e o que é pertinente aos outros, são aspectos metafísicos essencialmente importantes na preservação da saúde torácica.

Nessa parte da coluna se estabelece o principal eixo de sustentação interior. Equivale às raízes emocionais ou bases afetivas, que foram constituídas ao longo da trajetória de vida.

Uma boa condição emocional é resultante da ampla experiência, angariada, principalmente, por meio dos relacionamentos interpessoais. Em linhas gerais, interpretam-se as costas ligadas ao passado. Essa interpretação aplica-se mais à região torácica.

---

13. Imagem na página 206.

Nossas ações presentes são calcadas nos conteúdos emocionais, cuja bagagem trazemos das relações vivenciadas no passado. Os parâmetros atuais são fundamentados no aprendizado adquirido pelos vínculos estabelecidos outrora. Pode-se dizer que as relações vivenciadas norteiam a nossa manifestação presente. No entanto, não podemos ficar apegados a esses envolvimentos e deixar de fluir pela vida, estabelecendo novas oportunidades afetivas.

Permanecer preso ao passado e não se libertar para viver intensamente o presente, compromete o contato com o novo e dificulta a aquisição de novas experiências.

A trajetória de vida é margeada por situações que agregam à nossa bagagem existencial, formando um universo interior de experiências. Essa bagagem emocional fortalece o eixo de sustentação em si mesmo e diante das pessoas que estão em volta. Contribuem para a boa relação consigo mesmo, favorecendo a maneira de administrar as adversidades.

Consciente do que nos é próprio e o que é pertinente aos outros, estabelecemos uma integração harmoniosa com aqueles que nos cercam, sem nos anularmos nem nos sobressairmos perante eles.

A vida familiar representa uma das principais bases emocionais. Por meio de uma boa convivência com os entes queridos, sentimo-nos fortalecidos para seguir uma trajetória de novas relações. A integridade evita que nos subjuguemos aos meros caprichos daqueles com quem nos envolvemos, evitando estabelecer relações de dependência.

A comunhão fraterna do lar não pode ser fonte de apego a ponto de impedir que os membros da família estabeleçam novas relações e constituam novas famílias ou simplesmente experimentem outros envolvimentos.

Consideração e respeito para com os entes queridos não significam obrigação e dependência, tampouco, renúncia à felicidade. Não devemos transformar nossos vínculos fraternos em emaranhados neuróticos, que nos aprisionam à família. Os atributos positivos do convívio são reproduzidos nas novas relações, proporcionando bases internas suficientemente boas para a formação de vínculos afetivos saudáveis, favorecendo a constituição de bons vínculos amorosos.

CIFOSE

Comprometimento demasiado com os outros e anulação de si.

Cifose é o aumento anormal da curvatura do centro das costas, com inclinação para a frente, formando um calombo nas costas. Corresponde ao que popularmente é chamado de "corcunda".

Nas pessoas idosas, a principal causa é o desabamento da vértebra torácica por causa de uma osteoporose acentuada ou fratura antiga. A cifose pode ocorrer em qualquer idade, inclusive nos jovens. As causas vão desde as mais graves como as deformidades ósseas, até as mais simples, como a má postura e o condicionamento físico insuficiente.

Na metafísica, refere-se ao excesso de responsabilidade assumida em relação ao meio ou com os seus entes queridos. A pessoa desdobra-se pelos outros, esquecendo-se de si mesma.

Ela não consegue estabelecer os limites necessários para uma convivência saudável nas relações. Exagera na dedicação aos outros, tornando-se displicente aos seus próprios anseios.

Esquece-se de si mesma para corresponder às expectativas alheias, no que diz respeito ao seu desempenho. Negligencia seus próprios objetivos de vida e renuncia aos mais caros sentimentos para agradar ou não decepcionar quem ela ama.

Os relacionamentos interpessoais e, principalmente, as relações afetivas exigem certas renúncias; isso não significa a omissão dos desejos e a negação das vontades como fez a pessoa que somatizou a cifose. Para uma convivência harmoniosa é necessário manter o respeito para com o outro e igualmente a si mesma. As divergências devem ser administradas sem a anulação completa de nenhuma das partes. Se cada um ceder um pouco, não ocorrerá o descontentamento que abala a relação.

A pessoa que sofre com a cifose não soube administrar as diferenças nas relações. Tornou-se partidária dos outros e displicente para consigo mesma. Não valorizou os seus princípios, negando suas verdades.

Inferiorizou-se quando poderia ter sido altiva diante das situações. Adotou a negação e foi submissa, em vez de assumir um posicionamento firme e destemido perante as adversidades da vida.

A inferioridade e submissão cultivadas ao longo da trajetória dos relacionamentos familiares e afetivos representam as principais causas metafísicas da cifose. Essas atitudes persistem até o momento presente, a pessoa não mudou a sua conduta perante os outros.

Para alterar esse comportamento, faz-se necessário realizar um trabalho de reformulação interior: aumentar a autoestima, desenvolver o autovalor e adquirir o respeito próprio; cultivar o que sente e dar-se o direito de externar seus conteúdos afetivos.

À medida que vão sendo implantadas essas mudanças internas, surgem os reflexos positivos na saúde física, colaborando tanto para reduzir a progressão da cifose, quanto para minimizar os reflexos dessa deformidade da coluna.

ESCOLIOSE

Deslocamento dos ideais e perda do eixo interior.

O termo escoliose é indicativo de curvatura lateral da coluna. Trata-se de deformidades que podem ser *estruturais* ou *temporárias*.

As deformidades estruturais implicam alterações permanentes nos ossos e nos tecidos da coluna. Nessa classificação existem os seguintes tipos:

1) *Escoliose estrutural secundária*, que pode ser de nascença ou decorrente de outras doenças, entre elas a poliomielite.

2) *Escoliose infantil*, que pode ocorrer no primeiro ano de vida, como uma simples curva, sem causa definida.

3) *Escoliose estrutural idiopática*, que surge na infância ou na adolescência, aumentando progressivamente até cessar o crescimento ósseo; na maioria das vezes, provoca deformidades severas e feias. As causas físicas são desconhecidas.

Já os distúrbios temporários podem ser causados por reflexos de atividades posturais dos músculos espinhais. Nesse quadro incluem-se:

1) *Escoliose compensatória*, também conhecida por escoliose lombar, causada por deformidades pélvicas, tais como: membros inferiores desiguais etc.

2) *Escoliose ciática*, deformidade temporária produzida pela ação protetora dos nervos e músculos que se encontram doloridos; busca-se posições confortáveis que evitem a dor, mas com isso, adota-se posturas que provocam o desvio lateral da coluna.

Os aspectos metafísicos da escoliose estão relacionados a "sair do eixo"; abalar-se a ponto de comprometer sua própria identidade. As pessoas que sofrem desse desvio da coluna, não se sustentam nelas mesmas; buscam apoio fora ou nos outros, principalmente nos que as cercam. Não conseguem manter-se favoráveis a si mesmas e atribuem elevado valor aos outros.

Para elas, as opiniões alheias são extremamente importantes ao seu bem-estar. A autoestima é fundamentada na avaliação dos outros em relação ao seu desempenho. O julgamento que fazem das suas ações é determinante para o seu autovalor. Quando elogiadas, julgam-se boas; caso sejam criticadas, rejeitam-se. Baseiam-se no que os outros falam para se aceitarem ou se punirem. Não são capazes de fazer uma autoavaliação, baseada no que sentem; dependem do julgamento dos outros ou dos bons resultados obtidos nas ações exteriores com um aval externo.

Mesmo fazendo tudo certo, elas não se sentem competentes, ainda assim, precisam da avaliação positiva dos outros a seu respeito. Também não sabem lidar com as frustrações. Quando não conseguem alcançar os seus objetivos, são cruéis para consigo mesmas. São incapazes de compreender os seus limites e aceitar os seus momentos de fraquezas. Em vez disso, baseiam-se nas expectativas próprias ou espelham-se naquelas feitas pelos outros, a respeito do seu desempenho para autopunição.

Lembre-se, ninguém de fora pode avaliar as circunstâncias com que uma pessoa depara durante a execução das atividades. As condições internas e externas durante os afazeres, só poderão ser consideradas pela própria pessoa. É preciso permanecer do seu lado, mesmo nos momentos de insucessos; ser sua aliada e não implacável no julgamento ou algoz para consigo mesma.

Sejam os resultados bons ou ruins, não se deve desaprovar, mas sim considerar e respeitar os limites ou os momentos de fraqueza. Nem sempre é possível um exímio desempenho. Ninguém é somente vencedor nem perdedor sempre; todos nós alternamos esses estados, porém em qualquer momento o autoapoio é importante para nos fortalecer diante dos obstáculos.

O foco nas condições interiores é fundamental para elevar a autoestima e melhorar a qualidade de vida, permanecendo centrado em si, compreendendo as condições de vida em que se está inserido e respeitando as fragilidades internas. Somente quem vivencia o processo é capaz de compreender as circunstâncias que envolvem o desenrolar dos fatos.

Ao fazer o que está ao nosso alcance, vamos progressivamente melhorando o nosso desempenho. As próprias fraquezas devem ser aceitas para depois realizar um trabalho de fortalecimento. Ninguém se desenvolve se não aceitar os pontos a serem aprimorados.

Encarar as frustrações é algo difícil. Admitir os fracassos requer muita firmeza interior para não comprometer os potenciais do ser.

Em vez de assumir nossas inabilidades, projetamos nos outros o que negamos em nós. Costumamos atribuir às pessoas que nos rodeiam os motivos dos nossos insucessos. Geralmente o discurso é: "você me atrapalhou, por esse motivo não consegui"; ou ainda, "você me atrasou"; "tive de fazer suas coisas e não deu tempo de terminar as minhas".

Por trás desses discursos estão as negações das próprias inabilidades. As pessoas tornam-se nossos álibis. Em vez de ficar procurando um culpado, vamos investigar em nós o que precisa ser desenvolvido. Vamos parar de nos projetar nos outros e começar a assumir mais as nossas dificuldades. Se não sabemos lidar com o tempo, comecemos a nos organizar melhor e priorizar o que realmente é importante. Em vez de dar mais atenção aos outros para sabotar a nós mesmos, sejamos mais fiéis aos nossos objetivos.

Procuremos nos outros a parceria e o companheirismo, que somam positivamente em nossa vida, e não a projeção das nossas dificuldades, que nos enfraquece cada vez mais. Que eles sejam motivos de fortalecimento e não negação das dificuldades, tampouco motivo de abandono dos nossos objetivos, pois isso adoece a relação, tornando-a neurótica.

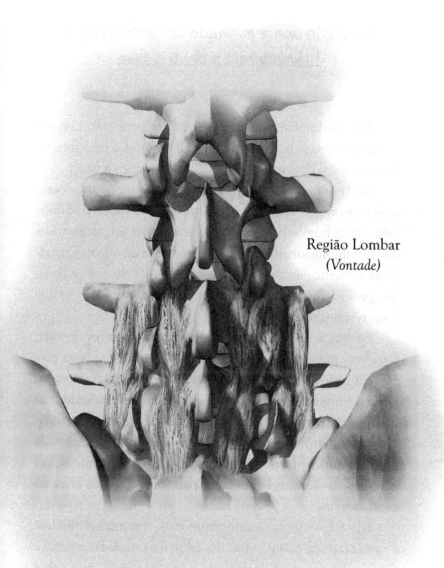

Região Lombar
(Vontade)

LOMBAR

*Sustentação interior em relação às vontades próprias.
Liberdade para realizar desejos.*

A região lombar é composta por cinco vértebras. Elas são as maiores e as mais fortes da coluna; adaptadas para fixação dos músculos dorsais e se estendem do pescoço à bacia.

No âmbito metafísico, essa importante região das costas remete ao nosso eixo de sustentação dos anseios. Ansiamos pelo que é bom e nos agrada, acionando as forças motrizes que nos impulsionam para a vida, em busca do que nos apraz. O movimento faz com que passemos por diversos estágios, que promovem o aprendizado e exigem perseverança e fé nos bons resultados.

Na busca de recursos para usufruir os prazeres da vida, fazemos uma trajetória por diversas circunstâncias, que promovem o desenvolvimento das faculdades de interação com pessoas e objetos. As experiências proporcionam elevado grau de envolvimento que aprimora as qualidades inerentes ao ser.

Trabalhamos para conquistar boas condições de vida e usufruir o conforto da tecnologia da modernidade. Com isso, desenvolvemos habilidades para execução dos talentos profissionais.

Nos relacionamentos interpessoais, o principal objetivo é saciar o prazer da companhia e/ou da intimidade sexual. Os envolvimentos fraternos ou com o parceiro aprimoram as faculdades relacionais, que favorecem a aproximação e o envolvimento com os outros. A maioria dos nossos movimentos com situações, objetos ou pessoas são impulsionados pela busca do prazer.

A maior satisfação não está necessariamente naquilo que fazemos, mas sim no real motivo dos nossos esforços.

O movimento, por si só, pode se tornar agradável; aliás, tornar prazerosa as ações é uma medida sábia, que favorece o desempenho das obrigações. Mas a movimentação não pode suplantar os nossos anseios. Ou seja, ficar tão envolvido com as atividades e não contemplar os objetivos a serem alcançados. Os nossos anseios não podem ser negados, tampouco negligenciados.

Por outro lado, a satisfação nem sempre está nas realizações das grandes proezas. Muitas vezes algum detalhe pode se tornar relevante e promover sensações agradáveis. Mesmo assim não se pode mudar o curso dos nossos atos. Quando nos dirigimos a um local, por exemplo, a chegada é o principal objetivo. No caminho passamos por diversos lugares bonitos, cruzamos pessoas; tudo isso nos envolve, tornando agradável o trajeto. As satisfações angariadas durante a ação minimizam possíveis frustrações da chegada, caso a situação não corresponda às nossas expectativas.

Por fim, não podemos nos distrair com o trajeto a ponto de nos esquecer dos objetivos; tampouco, desconsiderar cada instante da trajetória de vida. De alguma forma, tudo é significativo, cada momento tem o seu valor, seja pela satisfação ou pelas experiências obtidas na ação.

A mente focaliza o que se destaca por ser grandioso ou pelo fato de representar uma condição privilegiada perante as outras pessoas. Por outro lado, nossa essência pode ser saciada por coisas relativamente simples. Necessariamente não precisa ser algo notável para se apreciar; basta fazer algum sentido para o ser.

O prazer nos move, mas ele não pode ficar apenas num plano mental, nutrido apenas com especulações e idealizações; as ações precisam tornar-se reais, ou seja, serem concretizadas. Não basta apenas desejar e ficar divagando enquanto espera; é preciso viabilizar recursos para a realização do que nos faz bem.

Na metafísica, a região lombar relaciona-se com a sustentação interior em relação à prática do que proporciona prazer, tais como o lazer etc. Sentir-se no direito de usufruir o que faz bem ao ser; refazer-se emocionalmente com atividades prazerosas, que renovam as "baterias" e nos deixam dispostos a enfrentar as atribulações cotidianas.

Os *hobbys* são espécies de combustíveis que alimentam a força de atuação. Ninguém conspira a favor da realização deles, exceto a própria pessoa. Cabe a ela realizar o que lhe faz bem. Não se deve esperar que os outros proporcionem as condições para a execução das atividades desejadas.

Cada um deve ser responsável pela realização do que lhe dá prazer. É comum esperar que alguém incentive, compartilhe e até aprove a realização das atividades satisfatórias. Essa dependência dos outros compromete a viabilização dos recursos materiais ou a disposição de tempo necessário para se dedicar, por exemplo, ao lazer.

A livre expressão das vontades contribui para a realização dos desejos. A idoneidade é uma condição significativamente importante para a conquista da saúde lombar, consequentemente, para a preservação da qualidade de vida.

Viver em função dos outros, a ponto de sufocar sua natureza íntima, compromete a apreciação dos processos existenciais. Transforma prazer em sacrifício e obrigação. O que inicialmente era agradável, por ser feito de maneira espontânea e sem tanta atenção dirigida aos outros, passa a ser desconfortável e pesaroso.

Para se preservar a qualidade da interação com o meio e as pessoas que rodeiam você, resgate sua identidade pessoal. Faça um levantamento do que você gosta. Procure preservar seus desejos. Não seja mimado a ponto de querer saciá-los de imediato, nem negligente para com suas reais características.

Tudo na vida tem o seu momento apropriado. O cumprimento das incumbências geralmente é feito com rigor pelas pessoas responsáveis e bem-sucedidas nos negócios. No entanto, a realização das vontades próprias não segue o mesmo critério de empenho e dedicação.

A saúde da região lombar está relacionada metafisicamente com a preservação do que é significativamente importante e proporciona elevado grau de satisfação.

LORDOSE

Resignação e anulação das vontades próprias.

A existência de uma leve curvatura na região lombar, inclinada para dentro, é considerada normal. Quando essa curva torna-se excessiva, é chamada lordose ou hiperlordose. Dentre as causas mais comuns destacam-se as posturas inadequadas: ao sentar; ficar em pé por muito tempo; compensação de alguma deformidade óssea ou formação de barriga que exige mudança na postura para o equilíbrio do corpo.

A causa metafísica da lordose é o abandono das atividades prazerosas e/ou a atuação na realidade com desprazer.

A falta de habilidade para viabilizar os meios propícios à realização do que dá prazer impede a pessoa de alcançar os seus objetivos. Na maioria das vezes, a impossibilidade de fazer o que se tem vontade, não se dá pela falta de condições ambientais ou financeiras, mas sim pela incapacidade de a pessoa se libertar dos outros ou dos seus afazeres.

Ela apega-se às tarefas a ponto de só sair para descansar ou aproveitar bons momentos, quando está com tudo pronto. Prioriza as obrigações de tal maneira, que não se permite alguns momentos de descontração, enquanto não finalizar o trabalho.

Encontra-se tão aprisionada às suas incumbências, que não sobra espaço para o lazer. Não consegue parar alguns instantes e se dedicar aos afazeres corriqueiros; organizar suas coisas; assistir a um programa de televisão preferido; dialogar, brincar, sorrir etc. As obrigações sufocam os seus anseios. Quando a relação com o trabalho chega a esse ponto, prejudica a qualidade de vida.

Certas pessoas encaram os compromissos como se fossem um sacrifício. Redimem-se aos afazeres, de tal maneira que a displicência causaria profundo desconforto. Sentem-se melhor fazendo o que é necessário, do que curtindo o lazer. Sofreriam mais com o não cumprimento das obrigações do que com o abandono do prazer. Os prejuízos desse autoabandono podem surgir em longo prazo, com a manifestação da lordose.

Outro fator que interfere na livre expressão das vontades é o apego às pessoas com quem nos relacionamos. Mesmo com toda possibilidade para realizar nossos intentos, ficamos desolados por não ter a companhia de quem queremos bem.

Ou ainda, por não contar com o devido apoio e motivação daqueles que nos cercam para fazermos o que gostamos.

Esse tipo de apego compromete a liberdade. Ao mesmo tempo que a relação nesses moldes nos preenche momentaneamente, com o passar do tempo vão surgindo as cobranças. Ficamos na expectativa de que o outro, de alguma forma, nos apóie, incentive ou nos acompanhe naquilo que apreciamos fazer. No entanto, o outro não se dá conta das nossas necessidades. Quem deveria se mobilizar por aquilo que nos satisfaz, seríamos nós mesmos; como não o fazemos, o outro, por sua vez, não se dá conta do quanto certas atividades são importantes para nós.

Além de negligenciarmos o prazer, não assumimos a frustração de não ter feito o que tínhamos vontade. Geralmente atribuímos aos outros nossos insucessos, alegando falta de compreensão, companheirismo ou incentivo, quando, na verdade, fomos nós que não conseguimos assumir o quanto era importante, naquele momento, certas atividades. Não raro, acusamos a quem queremos bem, como se essas pessoas fossem o empecilho para a satisfação dos nossos desejos, porém, somos nós que não conseguimos agir por conta própria, libertando-nos do apego.

Resumindo, as frustrações e a perda da liberdade ocorrem principalmente pela falta de disponibilidade interna. As dificuldades existenciais e/ou a omissão dos outros não podem ser impedimento para as satisfações pessoais.

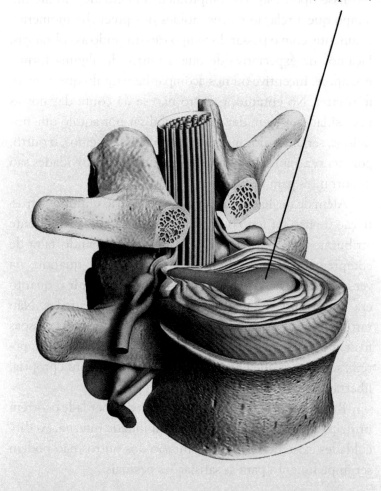

Hérnia de Disco
(Culpar-se)

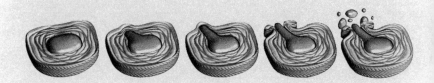

HÉRNIA DE DISCO OU BICO DE PAPAGAIO

Não se sente merecedor dos privilégios e culpa-se pelo prazer.

Entre cada uma das vértebras da coluna existem estruturas chamadas discos invertebrais, que são compostos por uma substância gelatinosa. Possuem consistência fibrosa e são dispostos em camadas, como uma cebola. Preenchem os espaços entre as vértebras, sendo responsáveis por suportar e amortecer as cargas e os impactos que recaem sobre a coluna, permitindo seus movimentos.

Durante os movimentos, os núcleos dos discos, em formato de anéis, que circundam a medula, deslocam-se para o lado contrário do movimento das costas. A flexão do tronco para a direita desloca os anéis para a esquerda, o mesmo ocorre nos movimentos contrários; na inclinação para a frente, eles deslocam-se para trás, e assim sucessivamente.

A hérnia de disco é um processo degenerativo (desgaste), causado principalmente pelo envelhecimento. Também pode ser decorrente de esforços excessivos. O termo médico é osteófitos; na linguagem popular é conhecido como bico de papagaio. Trata-se da redução do líquido do gel que compõem os discos, diminuindo sua altura, ocasionando a aproximação das vértebras adjacentes.

A redução do volume do disco vertebral ocorre quando o núcleo do disco comprime o anel fibroso, deslocando o gel para o canal medular. Ao migrar para essa área, mesmo sem romper o núcleo do disco, o gel pressiona a medula e as raízes nervosas, ocasionando dores intensas e formigamentos; bem como alterações da sensibilidade, da força muscular e dos reflexos. Esses sintomas irradiam para a parte de trás da coxa e parte inferior da perna, podendo chegar até o pé.

De acordo com a visão metafísica, as pessoas com hérnia de disco possuem conflitos em relação à prática do que faz bem e é prazeroso. Têm dificuldades para realizar prontamente o que gostam.

Dedicam-se pouco ao lazer, priorizam os afazeres, protelando a prática do seu *hobby*. Quando tiram um tempo para se divertirem, não raro, sentem um misto de satisfação e certo arrependimento ou culpa por ter deixado de lado as obrigações.

Sejam os compromissos com o trabalho ou a participação nas situações familiares, a pessoa vive em função desses afazeres. Ela não se dá o direito de ser feliz, praticando o que faz bem a si mesma.

Apesar de mobilizar os esforços na conquista de condições materiais ou financeiras, que permitem usufruir os privilégios, as pessoas não se sentem merecedoras de tê-los. Essa condição evidencia-se quando elas estão aguardando algum benefício extra no trabalho, por exemplo, e este não sai; a frustração reforça a crença de não merecer as regalias que obteriam com essa conquista. Eventos dessa natureza podem desencadear, em quem sofre de hérnia de disco, o aumento das dores nas costas.

O próprio empenho demasiado aos afazeres pode representar uma espécie de autopunição ou um mecanismo de fuga das frustrações. Uma vez que não consegue saciar seus desejos, a pessoa revolta-se pelos fracassos e se pune com práticas excessivas de trabalho árduo. Põe-se a cumprir as obrigações com certo sarcasmo. Parece gostar de sofrer, mas na verdade está se autoagredindo por não ter conseguido fazer o que aprecia; o fracasso se deve à crença do não merecimento.

A autopunição é a inversão da força agressiva. Em vez de a pessoa extravasar sua voracidade, por não ter conseguido saciar suas vontades, ela retém sua indignação, dando início a um processo de autodestruição. Encara as incumbências como uma saga, a qual cumpre de maneira nada satisfatória e com pesar e resignação. Quem atua dessa forma perde a oportunidade de angariar conteúdos internos, tais como habilidades e competências, gabaritando a pessoa para executar suas tarefas. Esse estado também promove satisfações positivas, sanando momentaneamente a falta de prazer.

Além dos benefícios diretos angariados com o trabalho executado, obtém-se uma espécie de nutrientes emocionais para o autovalor, fortalecendo a autoestima e elevando o amor próprio. Outras importantes condições desenvolvidas com o exercício das funções são independência e idoneidade; e, ainda, as condições materiais e financeiras necessárias para a prática do *hobby*.

Encarar as dificuldades como uma importante fonte de bem viver possibilita a realização pessoal e a saúde emocional. A própria frustração pela falta de dedicação ao lazer é minimizada quando a pessoa trabalha com satisfação.

Nem sempre é possível conciliar o trabalho com o lazer, melhor dizendo, ganhar dinheiro praticando o *hobby*, porém depende de nós encontrarmos uma forma de satisfação no que realizamos. Isso, além de tornar mais agradável o desempenho, reduz o desgaste físico e emocional.

Por outro lado, quando nos dedicamos às atividades de lazer, precisamos investir recursos financeiros, mas obtemos um significativo ganho de condições internas, que revertem positivamente no trabalho. Melhor dizendo, ao fazer o que gostamos, há um ganho emocional que se reverte em energias para o corpo, aumento da disposição para cumprir as obrigações diárias, consequentemente, saúde para a região lombar.

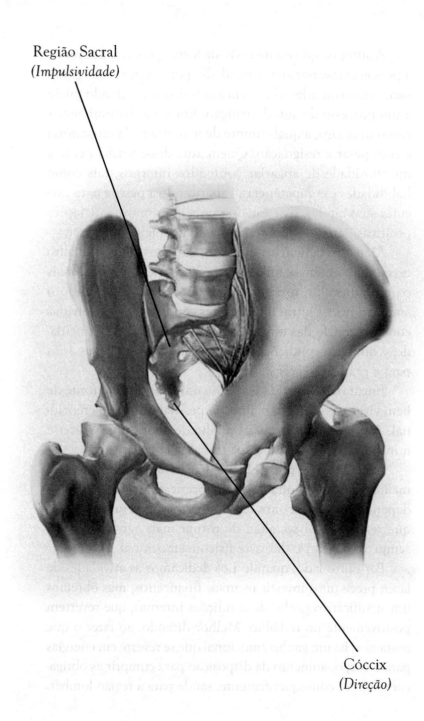

Região Sacral
(Impulsividade)

Cóccix
(Direção)

SACRO

Força impulsiva.

O sacro é um osso com formato triangular, composto pela junção de cinco vértebras sacrais. Está localizado no fim da coluna, na parte detrás da região pélvica, entre os dois ossos do quadril, dando sustentação ao cinturão pélvico.

O interior dos ossos do sacro possui cavidades ou aberturas, por onde passam importantes nervos que levam sensibilidade para a região genital e parte inferior das pernas.

Na metafísica, a região sacral está relacionada com a força impulsiva, que nos move para a interação com a realidade, a capacidade de pronta resposta aos estímulos exteriores, bem como a força motriz que promove a execução das atividades e/ou satisfaz nossas vontades.

Somos frequentemente impulsionados a interagir com os acontecimentos que nos rodeiam, seja pela atração gerada pelas situações exteriores, que nos instigam a intervir, participando delas, seja pelas vontades próprias e pela busca do prazer.

Os acontecimentos que nos circundam servem de estímulo para a nossa interação com o meio, seja para uma intervenção com o objetivo de transformar as situações desagradáveis, seja para usufruir os eventos agradáveis. Pode-se dizer que a vida é uma constante convocação para interagirmos com os acontecimentos. Estamos cercados pelas ocasiões estimuladoras, com as quais nos motivamos a participar com empenho e satisfação.

Em alguns momentos estamos empenhados a produzir uma condição promissora: resolver o que está inacabado ou sanar os problemas que nos rodeiam.

Praticamente, a todo o momento somos atraídos a fazer parte de alguma atividade, tanto para melhorar algo que não está bom, quanto para apreciar os eventos exteriores e realizar algo de que gostamos.

Por outro lado, mesmo quando não há nada de interessante acontecendo à nossa volta, tampouco exigindo a nossa interferência, somos movidos a interagir com o meio. Trata-se de uma força que naturalmente nos desperta para obter satisfações positivas.

A busca pelo prazer é a força motriz que nos estimula a interagir com a realidade. Constantemente somos guiados por esse incitamento, que é percebido como energia vital. É ela que dá origem ao comportamento e nos instiga a fazer as escolhas.

A impulsividade é uma qualidade existencial. Certas pessoas são mais ousadas do que outras. Dar vazão a essa natureza, possibilita preservar os ingredientes do prazer e respeitar as qualidades inerentes ao ser. Desse modo, é possível satisfazer-se no meio em que se vive. Quando essas pessoas sufocam suas expressões naturais elas ficam indiferentes aos acontecimentos e sentem-se desmotivadas para atuarem no ambiente.

Os atos repentinos não devem ser externados de maneira exacerbada, visto que em muitos momentos isso pode comprometer a harmonia das relações interpessoais. Também, não se deve ir para o outro extremo e reprimir os estímulos. Faz-se necessário, ponderação e comedimento, sem prejudicar a própria liberdade de expressão. Melhor dizendo, o respeito ao outro não pode chegar a ponto de a pessoa ser negligente consigo mesma; tampouco ela deve ser exclusivista e desrespeitar aqueles que a cercam.

Quem vive nos extremos da sua impetuosidade, provoca danos ao ambiente e/ou a si mesmo. O egoísmo exacerbado pode provocar distanciamento dos outros e isolamento. Já a repressão dos impulsos compromete a qualidade de vida, tenciona a região sacral, podendo causar desconforto e dores nessa área do corpo.

Uma das principais causas de problemas na região lombar consiste em sentir-se tolhido nas ações. Pode ocorrer naquelas ocasiões em que você se encontra intensamente motivado à realização de um intento e depara com a impossibilidade, ainda que momentânea, de concretizar seus objetivos.

A sensação de impedimento provoca abalos emocionais a ponto de causar danos na região sacral, por duas razões: *mimo* e/ou *falta de confiança* no usufruto do que é almejado.

Uma pessoa mimada não sabe dar o tempo necessário para o bom encaminhamento dos fatos. Quando deseja ardentemente algo, não sabe esperar a ocasião oportuna para realizar seus intentos. Age como se tudo girasse em torno de si, desconsiderando o sincronismo natural do processo e o momento propício daqueles que estão a sua volta. Quem age assim, logo que se empolga, fica excitado, mas o seu excitamento perdura até deparar com algumas dificuldades.

Os obstáculos irritam-na, podendo gerar ímpetos agressivos a quem oferece resistência aos seus propósitos. Algumas vezes essa agressão é voltada contra si mesma, afetando suas emoções, podendo atingir o corpo, com lesão no sacro.

Outra resposta comum de alguém mimado que depara com transtornos é o declínio no incitamento. A pessoa começa a ficar desestimulada, até perder de vez o interesse pelo que a empolgava.

No caso de alguém mimado, a impulsividade é momentânea e não perdura muito tempo, não ultrapassando as primeiras barreiras que se opõem à força motriz. Tratam-se de empolgações meramente passageiras.

A falta de confiança consiste na ausência de fé em si mesmo e nos mecanismos existenciais. Isso ocorre com frequência nas pessoas de baixa estima e reduzido autovalor. Elas não se sentem merecedoras de usufruir os privilégios da vida.

Estimulam-se à obtenção de satisfações positivas, mas quando se encontram tolhidas do prazer, abalam-se, apresentando as mesmas reações do mimado: irritabilidade canalizada para os outros ou agressividade voltada contra si mesmas; desinteresse e perda da empolgação.

Para alcançar os objetivos são necessários alguns ingredientes interiores, tais como a fé nos bons resultados e a manifestação dos impulsos que dão sentido ao que almejamos.

A força impulsiva representa uma espécie de combustível vital para a nossa movimentação no mundo exterior. Enquanto estamos estimulados à prática de certas ações, aquilo se torna um motivo para a nossa interação com a realidade, evitando o marasmo e o isolamento, a tristeza e a depressão.

O incitamento deve ser mantido, independentemente dos resultados momentâneos. Ainda que as ocasiões não sejam imediatamente favoráveis, isso não pode causar dano à força motriz, pois, sem ela, as nossas satisfações ficam reduzidas, e a obtenção dos nossos anseios torna-se cada vez mais distante.

Por mais difícil que a vida pareça ser ou por mais distante que os objetivos aparentam estar, eles são possíveis para quem acredita e não deixa apagar a chama dos impulsos. Creia sempre, estimule-se com frequência, assim o prazer será obtido.

CÓCCIX

Capacidade de escolha.

O cóccix[14] também possui formato triangular. É formado pela fusão das quatro últimas vértebras da coluna, as vértebras coccígeas. Representa a porção terminal da coluna.

Na concepção metafísica, essa parte da coluna representa a âncora do ser na realidade. Refere-se ao sentido de atuação da pessoa, numa determinada direção, e ao senso de escolha quanto ao rumo dos acontecimentos.

Tornar-se consciente das condições em que nos encontramos é fundamentalmente importante para tomar decisões. Compreender o contexto do presente, as situações ao redor e principalmente o encaminhamento dos fatos favorecem as escolhas, dando um novo curso para a vida.

Antes de qualquer escolha faz-se necessário aprimorar a consciência a respeito do que está ao nosso redor. Visualizar o cenário com certa imparcialidade evita a emoção. Em alguns momentos, ser emotivo interfere negativamente na tomada de decisões. Já a imparcialidade é uma conduta favorável para a tomada de decisões. É preciso certa dose de desapego para conceber os novos rumos e partir para outras direções.

A mudança de atitude transforma as situações, mas exige certo desapego e coragem para enfrentar o novo. Mesmo a circunstância não sendo agradável, ainda assim, existem alguns aspectos favoráveis nela, fazendo surgirem as resistências às

---

14. Imagem na página 234.

mudanças. Trata-se da comodidade em virtude do domínio que temos sobre as situações ao nosso redor.

Por sua vez, uma nova direção exige o desenvolvimento de mais habilidades para dar conta das outras necessidades que venham a surgir no andamento dos fatos. Portanto, não basta ter o espírito aventureiro para desbravar novos horizontes; é preciso ter capacidade de superação para se renovar e conquistar outros desafios.

Geralmente, diante das mudanças, somos dominados pela seguinte dúvida: será melhor mudar, para ver se algo melhora ou deixar como está? Apesar de a atual condição não satisfazer mais, possuímos um relativo manejo sobre as situações presentes, tornando confortável continuar do mesmo jeito.

Além disso, diante das decisões a serem tomadas, pairam as seguintes questões: Qual a melhor escolha? Quem garante que o novo será melhor? Geralmente, essa resistência às mudanças reflete insegurança e falta de confiança em si mesmo e no curso da vida.

A natureza está em constante movimento; a vida é repleta de transformações. Portanto, o simples fato de estar vivo é um convite para fazer as transições, que são necessárias para a convivência harmoniosa com o meio. Em última instância, pode-se dizer que mudar é preciso.

Assim sendo, resta-nos saber qual é a melhor escolha. Como decidir pela direção correta? Os critérios são os mesmos para as pequenas e para as grandes decisões.

Em primeiro lugar, precisamos eleger prioridades, sem isso a decisão será às escuras. Para aumentar a chance de decidir acertadamente é preciso saber o que é importante para nós ou para a situação em questão. Feito isso, resta-nos eleger o que mais atende às necessidades levantadas. No entanto, a certeza de que a escolha foi acertada só o tempo dirá. De qualquer forma, acionamos um processo que nos tira da estagnação, dando início a novos rumos para a nossa existência.

Existe um fator dentro desse contexto que pode desencadear uma série de transtornos emocionais e até problemas na região do cóccix. Trata-se da angústia gerada pela falta de concretização do que foi escolhido, mas que, por alguma razão não se consolidou. Melhor dizendo, decidimos, mas não conseguimos pôr em prática o que determinamos.

Isso implica elevado grau de desconforto em relação aos acontecimentos presentes. Antes de dar um encaminhamento interior aos fatos, conseguíamos nos manter relativamente bem; mas, depois de tomar algumas decisões, ficamos impacientes para a implantação das mesmas. A convivência com o ambiente passa a ser insuportável, visto que já nos preparamos para novos rumos; permanecer como antes representa uma espécie de estagnação e até mesmo, retrocesso.

Esses conflitos podem ocasionar alguns acidentes, tais como quedas, que venham a lesionar a região coccígea, causando desconforto e dores nessa área da coluna. Para evitar esse transtorno, faz-se necessário uma elevada dose de compreensão, no sentido de reconhecer a nossa demora em tomar decisões. Então, é preciso um tempo hábil para implantar as novas medidas.

Enquanto as mudanças não puderem ser concretizadas, não devemos nos agredir, tampouco ofender os outros. Assim como foi preciso um tempo para amadurecermos as escolhas, mesmo aquelas inevitáveis, as pessoas que nos cercam também necessitam de um preparo para se acostumarem com o novo.

O mais importante é que as escolhas foram feitas. A implantação é só uma questão de tempo. Podemos aproveitar esse período para nos fortalecer para o novo e quando ele fizer parte da realidade, sermos plenos nessa nova direção.

SISTEMA NERVOSO PERIFÉRICO
Integração com o meio

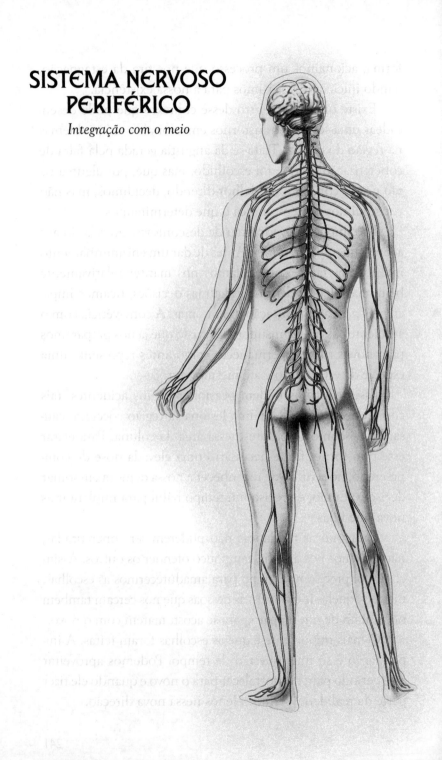

SISTEMA NERVOSO PERIFÉRICO

NERVOS

Intercâmbio entre o ser e a vida.

O sistema nervoso periférico é constituído por *nervos*, *gânglios* e *terminações nervosas*.

Os *nervos* são espécies de cordões esbranquiçados, que têm as funções tanto de levar estímulos do Sistema Nervoso Central para o corpo, quanto de trazer os impulsos nervosos dos músculos e órgãos ao Sistema Nervoso Central. Eles distinguem-se em dois grupos: os *cranianos* e os *espinhais*.

Os *nervos cranianos* são formados por doze pares e estão localizados na região da cabeça e no interior da caixa craniana. Uma parte deles inerva a face; os olhos, possibilitando a visão e os movimentos do globo ocular; o nariz, sendo responsável pela sensibilidade olfatória, que identifica os aromas. O maxilar, a mandíbula, os dentes etc., são inervados por um nervo chamado trigêmeo. Outra parte faz a conexão diretamente com o encéfalo (núcleo do Sistema Nervoso Central), executando o trânsito de informações entre algumas estruturas do próprio Sistema Nervoso Central.

Os *nervos espinhais* são formados por trinta e um pares de nervos, que fazem a conexão entre a medula espinhal (região da coluna vertebral) e as extremidades do corpo, inervando os membros, órgãos e músculos. Dentre eles destaca-se o nervo ciático.

No âmbito metafísico, os nervos refletem a maneira como a pessoa se liga ao mundo e a si mesma.

Os nervos espinhais, por exemplo, equivalem ao elo com o mundo exterior e ao tipo de contato que são estabelecidos com as situações existenciais e com as pessoas que estão à volta. Esse vínculo com a realidade engloba tanto a disposição para acatar os acontecimentos, quanto a expressão das vontades ou o manejo das habilidades necessárias para alcançar os objetivos.

Eles representam uma espécie de "via de mão dupla", por meio da qual transitam informações de dentro do corpo para fora, e do ambiente para a pessoa, promovendo a interação com a vida. Por meio das fibras sensitivas (nervos), torna-se possível vincular-se ao meio, manifestando os conteúdos interiores.

A realidade é uma extensão da condição interna. Os pensamentos e os sentimentos cultivados pela pessoa são transferidos para o meio externo. Pode-se dizer que o externo condiz com as condições internas. Também, aquilo que é identificado nos outros existe em si mesmo.

Na interação, tanto o ambiente é influenciado pela pessoa, como também exerce significativa influência sobre os seus sentimentos e condutas.

Para a pessoa exercer influência transformadora sobre o meio, faz-se necessário admitir os fatos, sem fugir ou negar aquilo que é desagradável. Também é preciso conscientizar-se dos potenciais latentes no ser.

Essa ligação para consigo mesma, metafisicamente, refere--se aos nervos cranianos. Eles favorecem o contato com o mundo mental, possibilitando a autoconsciência. A conexão com as forças interiores mobiliza os potenciais para promover interferências no meio em que se vive.

Antes de qualquer intervenção no meio exterior, faz-se necessário estabelecer a ordem mental. Controlar os pensamentos e se concentrar; estabelecer prioridades e fazer as escolhas; isso aumenta a chance de sucesso numa determinada ação.

A organização interior, por si só, mobiliza as forças internas, que são potenciais criativos e transformadores do ambiente em que vivemos. O desenvolvimento das nossas faculdades, basicamente se define na autoconsciência, na ordem interior e na atitude integradora (disposição para agir). Essas atitudes polarizam as forças vivificadoras, que se deslocam para o meio externo, promovendo as transformações necessárias ao bem viver.

Pode-se dizer que realizamos no mundo aquilo que formos capazes de implantar em nós mesmos. O princípio das modificações é interno; começa em nós e se desloca para o ambiente. A conquista do que almejamos depende do bom uso das faculdades interiores, tais como pensar ordenadamente, acreditar em nós mesmos, sentir-nos merecedores de gozar dos privilégios que a vida oferece.

Como os nervos remetem ao fluxo de troca com o ambiente, do mesmo modo que externamos os nossos conteúdos, somos estimulados pelos eventos do meio. A realidade aguça nossa participação. A busca do prazer é uma espécie de força motriz para a manifestação dos potenciais latentes no ser. Somos impulsionados a mobilizar os recursos internos para a conquista de satisfações positivas.

Por outro lado, encarar as necessidades exteriores como obrigações desestimulará a nossa participação ativa nos afazeres. As incumbências da vida tanto podem nos motivar quanto nos reprimir; isso depende da maneira como as encaramos. A ótica desafiadora nos motiva a transpor os obstáculos. Já a obrigatoriedade induz à autossabotagem ou à repressão das nossas faculdades interiores.

Quando nos encontramos desanimados para exercer as tarefas cotidianas, devemos refletir acerca do significado que estamos dando àquelas práticas. Caso não encontremos nessas situações algo que justifique a nossa indisposição, convêm tentar identificar em que área da vida o nosso ser não está manifestando suas vontades e reprimindo o sentimento.

Conscientes do que estamos fazendo com nossa essência, ao camuflar os mais íntimos sentimentos, precisamos encontrar alguns meios para conciliar a execução das vontades, sem comprometer as situações que nos cercam. O fato de vivermos contrariados por não termos sido fiéis às expressões do ser, torna o cumprimento das demandas do trabalho, algo extremamente pesaroso.

Isso pode mudar se resgatarmos a satisfação em preservar a natureza íntima e, nas ocasiões oportunas, realizarmos o que a nossa "alma" pede. Quando as obrigações forem dosadas com as satisfações, há significativo ganho de motivação.

GÂNGLIOS

"Divisor de águas" entre a estagnação e o sucesso.

Os *gânglios* têm a mesma equivalência dos núcleos dos neurônios do Sistema Nervoso Central; só que eles estão no

Sistema Nervoso Periférico. São espécies de dilatações dos nervos, também conhecidos como grupos de corpos celulares.

Na metafísica, os gânglios nervosos equivalem ao encaminhamento das vontades ou a direção e fluidez dos talentos, proporcionando os meios necessários para a realização do ser na vida.

Quando encontramos possibilidades de manifestar os potenciais ou realizar os nossos anseios, aumentamos as chances de sermos bem-sucedidos na área em que atuamos. Além dessa condição promissora, conseguimos interiormente a satisfação pessoal.

Existem situações chaves no processo existencial. São ocorrências decisivas que, a partir de um determinado evento, promovem o encaminhamento para o sucesso. São eventos que podem ser bons ou ruins, mas determinam uma nova trajetória existencial. Pode ser também o surgimento de uma pessoa, seja um amigo, um sócio ou um novo amor. Tudo isso pode representar uma espécie de "divisor de águas" entre um estilo de vida e outra configuração existencial.

Ao observar os resultados promissores obtidos no seu passado, por exemplo, você vai notar algum ponto que foi decisivo para alcançar o referido sucesso. Sempre existem na história pessoal momentos ou situações, que apesar de muitas vezes não terem se apresentado de maneira relevante, tornaram-se extremamente significativos, como se fossem "pilares" de sustentação de uma nova vida.

Portanto, quando sua vida parece não ter um sentido maior ou uma direção promissora, pode acontecer algo bom ou, surgir alguma pessoa que o incentive a seguir os seus ideais, quem sabe até faça uma espécie de apadrinhamento, possibilitando os meios necessários para a realização dos seus objetivos.

Do mesmo modo que é importante nunca desanimar, tampouco parar de sonhar, também é imprescindível manter os "pés no chão". Pois é na realidade presente que surgem as condições necessárias para você atingir seus objetivos. Quando menos se espera a oportunidade pode aparecer. Ela costuma emergir do próprio meio. Não obstante, as dificuldades, no seu campo de atuação, geralmente estão inseridas nas condições promissoras.

Se há algo que deve ser levado em consideração, é o fato de as ocorrências positivas que aparecem no caminho se configurarem de maneira simples. Elas praticamente se confundem com os eventos rotineiros, mas representam um novo curso para a sua história de vida. Não espere ocorrências grandiosas para dar início a sua trajetória de sucesso; interaja com os eventos presentes, pois são deles que você extrai os meios para ser bem-sucedido.

Ao contrário do que se imagina, as ocorrências suntuosas, que se mostram como presságio de um futuro promissor, não necessariamente promovem os melhores resultados. Já aquilo que acontece naturalmente pode repercutir favoravelmente ao seu sucesso.

Melhor dizendo, o que é bom, e vai realmente ajudar, surge de maneira discreta, sem tanto alarde. No entanto, as propostas de grandes possibilidades costumam não dar em nada. Essas situações equivalem a um princípio existencial muito verdadeiro: o que é para o bem costuma aparecer naturalmente e de maneira suave, já o mal geralmente vem com promessas de grandes realizações. Há um dito popular que exprime isso da seguinte forma: "*Quando a esmola é demais até o santo desconfia*".

Assim sendo, não espere as grandes ocasiões para dar o melhor de si, faça o máximo que você puder, mesmo em se tratando das coisas mais simples do seu cotidiano. Procure viver intensamente cada momento da sua trajetória de vida.

Lembre-se: é do presente que se extrai os maiores frutos da existência, seja por meio da satisfação do que se passa ao redor ou pelas possibilidades de um encontro com alguém; ou ainda, de algum evento que se passa no meio. A vida é preciosa demais para ser sufocada com expectativas futuras.

A realidade presente é fonte de vida, enquanto as expectativas futuras são meras conjecturas mentais que dificultam a nossa interação com o que é real.

TERMINAÇÕES NERVOSAS
Raiz da alma implantada na vida.

As terminações nervosas estão situadas nas extremidades, tanto nas fibras nervosas *motoras,* quanto nas fibras nervosas *sensitivas.*

No tocante às terminações nervosas motoras, elas são denominadas placas motoras. A grande maioria delas descarrega estímulos para os músculos, promovendo os movimentos corporais.

As terminações nervosas sensitivas são estruturas especializadas em receber estímulos *físicos* ou *químicos,* tanto da superfície do corpo, proporcionando a sensibilidade aos estímulos externos, quanto do seu interior, permitindo a identificação das sensações geradas pelo próprio organismo. Os estímulos dos receptores sensitivos originam os impulsos nervosos, que caminham pelas fibras, em direção ao Sistema Nervoso Central.

As principais estruturas de sensibilidade aos estímulos *químicos* são as gustativas e as olfativas. As terminações nervosas gustativas, por exemplo, estão localizadas na região da língua. Elas são capazes de determinar as sensações de doce, azedo, amargo etc.

As terminações nervosas especializadas na captação dos estímulos *físicos*, estão, na sua maioria, localizadas na pele e nas mucosas. Esses receptores são especializados para os agentes causadores do calor, frio, pressão e tato. No que diz respeito às sensações de dor, elas são captadas pelas terminações nervosas livres, isto é, não há uma estrutura receptora, especializada somente para esse tipo de estímulo. Portanto, a dor é captada por diversas terminações nervosas espalhadas por todo o organismo.

Em se tratando de fibras nervosas especializadas na identificação daquilo que se passa ao redor e também na percepção das sensações viscerais, as terminações nervosas possuem equivalência metafísica à percepção de si mesmo e também à identificação dos eventos exteriores.

Conhecer-se promove atitudes de respeito aos próprios limites, evitando a autoagressão. Também permite adotar posicionamentos condizentes com a natureza íntima, favorecendo o encaminhamento das nossas vontades. Atuamos na vida com mais coerência e precisão. Não perdemos tempo com picuinhas; por outro lado, não deixamos de reconhecer o valor de uma pequena ocorrência ou ainda de um gesto afetivo de alguém. Comportamo-nos de forma a respeitar os outros e a nós mesmos.

A autoconsciência permite a identificação dos reais objetivos. Consequentemente, amplia a capacidade de identificar os momentos oportunos para manifestar nossas vontades, favorecendo o direcionamento dos potenciais, rumo à conquista dos ideais. Quanto maior a consciência, menor a oscilação de atitudes diante dos obstáculos; permanecemos bem e com harmonia interior, mesmo nos momentos de crises.

Acreditar que somos capazes de realizar o que almejamos e crer nos processos da vida promove a segurança. Confiantes e seguros, somos dotados de importantes ingredientes internos para a realização no meio externo.

Outro aspecto igualmente importante na causa metafísica das terminações nervosas é a identificação do que se passa ao redor. A consciência da realidade, aproxima-nos das soluções dos problemas que surgem no caminho, possibilitando interagir com o meio.

Quanto mais próximos formos daquilo que acontece ao redor, melhor a chance de sermos bem-sucedidos no ambiente em que atuamos.

A consciência simultânea dos ideais e das situações presentes, melhora a chance de realização pessoal na vida.

Quem fica obcecado pelos seus ideais e indiferente ao presente, deixa passar as oportunidades. Por outro lado, aquele que vive em torno das questões exteriores ou dos outros, não constitui nada de efetivo para sua vida. Tudo passa, mas ele não se apropria de nada. As amizades são passageiras, os relacionamentos não perduram e o trabalho se acaba; não fica com posse dos benefícios resultantes do que realizou.

Por fim, é fundamentalmente importante, tanto a autoconsciência, quanto a real percepção do ambiente. Isso promove o sincronismo existencial, favorecendo a manifestação dos conteúdos internos no momento oportuno. Esses procedimentos acionam alguns fenômenos existenciais, conhecidos como *feeling* para os negócios ou sorte naquilo que se faz.

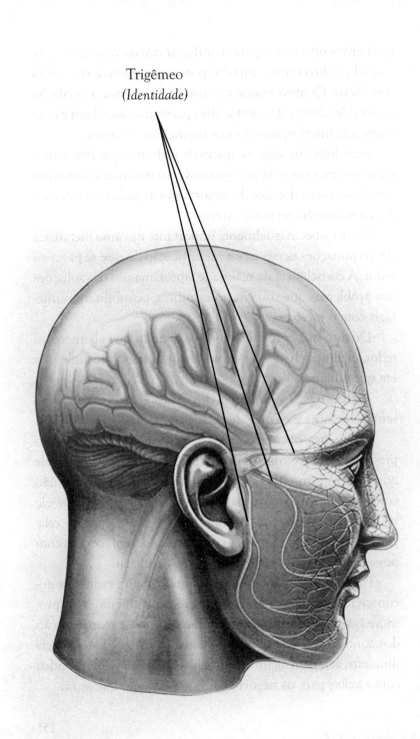

Trigêmeo
(Identidade)

TRIGÊMEO

A identidade pessoal diante do grupo social.

O trigêmeo pertence ao grupo dos nervos cranianos. É um nervo misto, possui uma raiz sensitiva e uma raiz motora. Inerva a parte inferior da face, boca, dentes e os músculos da mastigação. É assim denominado por causa dos três ramos que são derivados dele: o nervo *oftálmico*, o nervo *maxilar* e o nervo *mandibular*.

Na metafísica, o trigêmeo está relacionado a nossa autodefinição, ou seja, à maneira como nos constituímos socialmente. A identidade do grupo a que pertencemos condiz com o nosso jeito de ser. Os valores familiares, as condições socioeconômicas e as crenças religiosas estão arraigados em nós, definindo nosso estilo de vida e nosso comportamento.

Quando, de alguma forma, o modelo do grupo a que pertencemos é abalado, isso compromete a nossa desenvoltura diante do próprio grupo e também da sociedade em geral. Os acontecimentos que denigrem o estilo de vida que adotamos, poderão nos abalar interiormente, provocando uma crise de identidade.

A maneira como reagimos a esses acontecimentos, vai, metafisicamente, definir as condições do nervo trigêmeo. Basicamente, existem três tipos de reações que são consideradas as principais formas de condutas diante dos conflitos de identidade: a primeira é a *exteriorização*, a segunda é a *elaboração* interna e a terceira é a *repressão*, esta última equivale à causa metafísica da nevralgia do trigêmeo.

1 – Externar o conflito é uma maneira, segundo a metafísica da saúde, de poupar o nervo trigêmeo; no entanto, pode suscitar confusão com as pessoas ao redor. O empenho para defender os valores culturais leva à exposição pública a favor daquilo em que se acredita. Os movimentos em defesa dos padrões, sejam eles de origem social, política ou religiosa, muitas vezes são causadores de revoluções e até de guerras.

Um exemplo de exteriorização são os conflitos religiosos. Quando surgem revelações "bombásticas" a respeito de uma determinada religião, as pessoas que pertencem àquele segmento, principalmente, os ícones religiosos, tendem a se mobilizar para preservar os seus princípios. Eles vão à mídia defender o que acreditam ou se expõem perante os fiéis para fortalecer a crença dos seguidores, evitando que os boatos abalem a fé própria e do grupo.

O mesmo ocorre com a discriminação a determinado grupo. As pessoas afetadas pelo preconceito, imediatamente se manifestam em defesa dos seus direitos. Lutam para preservar seu espaço social, sem terem de se moldar aos costumes considerados socialmente corretos.

A rebeldia, por exemplo, é uma reação característica dessa conduta. Ela é comum nos jovens, mas pode ocorrer em qualquer idade. Trata-se de um inconformismo com as regras vigentes, que se manifesta em forma de oposição veemente aos valores sociais ou familiares.

Quanto mais violenta a resposta da pessoa, mais envolvida ela se encontra com os alvos de seu ataque. A voracidade com que ela ataca a família ou a sociedade, tem como objetivo destruir os conteúdos profundamente arraigados em si mesma. Pode-se dizer que a rebeldia é uma tentativa de destruir nos outros o que está incutido nela própria.

2 - A elaboração é a segunda maneira de gerenciar os conflitos de identidade.

Nesse caso não há a negação nem o repúdio às situações conflituosas provenientes do meio exterior. A pessoa respeita os diferentes pontos de vista alheios. Não discute valores; considera o direito de cada um ter suas próprias crenças e pertencer a determinado grupo. Vê na diversidade, a riqueza do processo e o equilíbrio das forças sociais.

Caso todos comungassem as mesmas verdades, haveria somente uma classe dominante, que impediria qualquer outro estilo de vida. O predomínio de um grupo social, político ou religioso não permitiria a existência de outras versões; todos teriam de se adequar às verdades vigentes. Não teria espaço na sociedade para as pessoas viverem de acordo ao que elas são adeptas.

Exigimos respeito, mas também criticamos algumas posturas alheias ou certos procedimentos de outros grupos; essa atitude atrai críticas à nossa maneira se ser. O respeito às diferenças deve partir de nós, para depois exigirmos que os outros nos aceitem.

O conflito de ideias também pode promover a mudança de valores e a constituição de novas crenças. O contato entre as diferenças oferece recursos para o aprimoramento pessoal. Para tanto, faz-se necessário uma atitude reflexiva, sem descartar prontamente aquilo que se opõe às suas crenças.

Portanto, a elaboração dos conflitos gerados pelos choques culturais, religiosos etc. pode promover tanto o respeito, quanto as mudanças interiores. Ponderar as ocorrências que divergem daquilo que você acredita, representa uma maneira inteligente e saudável de relação entre o mundo interno e o meio externo.

Pode-se dizer que tudo vai acrescentar experiência, se houver aceitação, respeito a si e aos outros. Na condição de aprendizes, todos os acontecimentos, sejam eles bons ou ruins, contribuem para o nosso aprimoramento interior.

3 – A terceira reação diante das críticas que abalam a nossa identidade é reprimir os impulsos, embutir o conflito para evitar confrontos de ideias. Caso essa contenção da impetuosidade seja acompanhada de boa elaboração interior, evitamos a discórdia e preservamos nossa saúde emocional e física.

Mas na maioria das vezes evitamos o conflito com os outros, e não conseguimos minimizar a confusão interior; com isso, ferimos a nós mesmos. A autoagressão, decorrente da repressão da turbulência emocional, afeta o nervo trigêmeo, podendo desencadear crises de nevralgia do trigêmeo.

NEVRALGIA DO TRIGÊMEO
Conflitos de identidade.

Nevralgia, também descrita como neuralgia, consiste em uma dor forte, geralmente suportável, que ocorre na extensão de um nervo craniano ou espinhal.

Nevralgia do trigêmeo é uma síndrome caracterizada por dor intensa, que dura alguns segundos ou mais. A dor irradia pelo rosto, atingindo os lábios, as bochechas etc. O movimento de mascar pode precipitar o sintoma.

Como foi explanado no tópico anterior (Trigêmeo), o aspecto metafísico dessa dor se refere à terceira forma de reagir aos episódios que afetam a nossa concepção de mundo, de família, de religião etc. Aconselhamos a leitura prévia do referido tópico para favorecer a compreensão dessa forma de responder às crises de identidade. E, inclusive, para conhecer outras condutas diante dos mesmos problemas.

A reprovação do que acreditamos, principalmente quando provenientes de pessoas influentes no meio, pode nos abalar a ponto de gerar profundos questionamentos sobre as verdades que regeram nossa vida. A importância atribuída a certas pessoas ou situações passa por um novo crivo de seleção. Avaliamos se o elevado grau de consideração por alguém ou a certas condutas realmente merece nosso apreço.

Esses conflitos existenciais abalam nossas crenças. Geralmente, eles vêm seguidos de turbulências emocionais que, por sua vez, não são nem externadas, tampouco minimizadas, corroendo a nossa autoimagem. Essa transformação ocorre de forma dolorida. É como se as críticas penetrassem em nosso ser como lâminas cortantes, que arrancam as nossas verdades.

Enquanto ainda não concebemos novos valores, resta-nos a dor da perda do referencial de vida, que regeu nossas condutas.

Esses ferimentos emocionais não são externados. Sujeitamo-nos às críticas, sem revidar aos ataques. Demonstramos uma conduta aparentemente forte, mas no íntimo estamos abalados.

Nossos sofrimentos não são sequer compartilhados com aqueles que nos cercam. Sofremos calados. Isso aumenta ainda mais as nossas angústias, pois quando manifestamos as fraquezas, suavizamos os reflexos que, metafisicamente, poderiam afetar o corpo.

Geralmente, as mudanças de crenças vêm acompanhadas de crises externas e também interiores. Somos acometidos por ocorrências "bombásticas", que tiram o nosso chão. De um momento para o outro somos surpreendidos por uma reviravolta no curso existencial, que nos lança para outras concepções de mundo, que jamais suporíamos.

De repente, o conforto que as nossas crenças proporcionava é perdido. Sentimo-nos à mercê de alguns absurdos, ou seja, de possibilidades que jamais imaginamos. Mas em virtude dos acontecimentos, passamos a ponderar e não mais repudiamos os conceitos que outrora afrontavam nossas verdades.

Alguns exemplos podem elucidar a compreensão desses caminhos tortuosos de transformações de valores.

Quando um irmão denigre o próprio núcleo familiar, a revolta desse ente querido com os valores daquele grupo provoca, nos demais integrantes, uma série de questionamentos sobre suas verdades. Afinal, aquela não é uma mera crítica de quem está fora do seio familiar, mas sim de alguém que comungou as mesmas crenças e agora apresenta uma nova face daqueles princípios. Situações como essas podem provocar verdadeiras revoluções das crenças nos parentes.

O mesmo ocorre quando um irmão comete algum erro absurdo, como um ato de marginalidade ou um delito. Ficamos num impasse: negamos a cooperação a um integrante da família; revemos o senso de certo e errado e saímos em defesa daquele ente querido, considerando a possibilidade de ele cometer uma falha. Com isso, revemos a consistência das verdades que regeram a nossa formação moral.

Quando um líder espiritual comete algum deslize, ferindo os valores religiosos, isso repercute de diversas formas no grupo de fiéis. Alguns preferem se enganar, questionando a veracidade dos boatos propagados, desqualificando as evidências. Outros atacam vorazmente aquele deslize, sendo implacáveis na crítica a quem a cometeu. Geralmente, as pessoas desqualificam quem comete um deslize, desconsiderando tudo o que foi feito de bom por parte daquela pessoa. Basta um erro que todas as boas ações anteriores são esquecidas.

Afinal, é mais fácil denegrir quem pratica um erro do que rever nossas crenças. Dificilmente nos propomos a refletir sobre aquilo que concebemos como verdadeiro. Mesmo diante dos eventos desastrosos, envolvendo um integrante do grupo religioso ou familiar, não revemos nossos valores. Insistimos em preservar as velhas crenças para não vivenciar uma crise de identidade.

Quando as nossas concepções se encontram ameaçadas pelos acontecimentos conflituosos, reprimimos a impulsividade. Esboçamos uma aparente indiferença e não compartilhamos com ninguém as nossas angústias. Para dar conta desse sofrimento, deslocamos as forças geradas pelo conflito para o corpo.

A transferência das aflições para o corpo minimiza a carga emocional desses sentimentos, tornando-os suportáveis. Desse modo, conseguimos acomodar as inquietações interiores.

Ao fazer a passagem desse tipo de sofrimento, do campo das emoções para a esfera orgânica, o nervo trigêmeo é a área de choque do corpo que recebe essa bagagem afetiva. A intensa dor desse nervo, metafisicamente, é o reflexo desse tipo de amargura.

Portanto, para não sofrer no físico aquilo que você não dá conta de suportar no seu ser, procure manifestar suas amarguras. Permita-se lamentar seus infortúnios, expondo suas dores. Não queira poupar os outros e com isso se estraçalhar interiormente.

Em vez de negar o sofrimento, tentando esquecê-lo, procure resolver os seus desgostos no consciente. Quando você não der conta das suas angústias, compartilhe-as, dividindo o seu abalo com os outros, sem fugir dos confrontos. Mesmo que isso provoque conflito nas relações interpessoais, evite a agressão para consigo mesmo.

Aceite suas fragilidades emocionais; respeite seus limites. Não pense que essa conduta o torna fraco; ao contrário, demonstra um gesto de fortalecimento interior, conquistado pelo reconhecimento das condições internas. Por outro lado, mostrar-se forte perante os outros muitas vezes o desgasta, a ponto de enfraquecê-lo. Principalmente quando a demonstração de força for acompanhada da negação das suas angústias.

Procure ser autêntico consigo mesmo e com os outros. Por mais dolorido que seja um acontecimento, tente dar conta dele; se não conseguir, procure alguém de confiança para compartilhar. Agora, caso você não tenha capacidade para conter um problema, por causa da sua gravidade, não resista em se expor, manifestando sua indignação para com os eventos exteriores. Isso vai poupá-lo da dor emocional ou física.

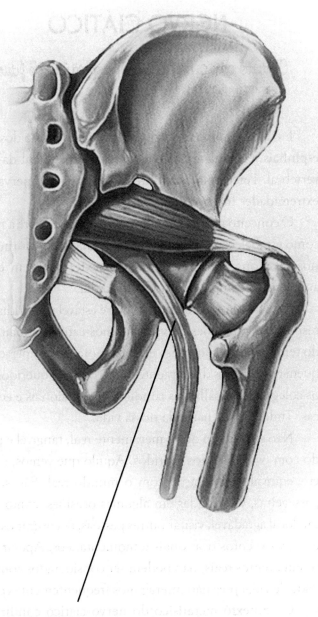

Nervo Ciático
(Trajetória de vida)

NERVO CIÁTICO

Contato com a realidade e perspectivas de futuro.

É o maior nervo do corpo. Pertence ao grupo dos nervos espinhais. Origina-se nas regiões: lombar e sacral da coluna vertebral. Percorre a região detrás das pernas, inervando as extremidades inferiores das pernas até os pés.

O conceito metafísico do nervo ciático se refere à maneira como estabelecemos contato com a realidade. A forma como nos relacionamos com os eventos exteriores, em especial àqueles que compõem o nosso dia a dia.

A realidade equivale àquilo que é estável no cotidiano; diz respeito às condições de vida que nos cercam a maior parte do tempo, tais como a casa em que moramos, as pessoas com quem convivemos diariamente, tanto os entes queridos, como os colegas de trabalho; as condições profissionais e econômicas. Tudo isso faz parte da nossa vida.

Não se trata do que é meramente real, tangível e percebido com os órgãos dos sentidos. Aquilo que vemos, ouvimos etc. equivale à interação com o mundo real. São situações passageiras, vivenciadas em algumas ocasiões, como viajar a um local agradável, visitar outras pessoas, encontrar os amigos e outros eventos ocasionais e momentâneos. Apesar de eles serem eventos reais, não podem ser considerados como realidade de vida; pois não interagimos frequentemente com eles.

O contexto metafísico do nervo ciático condiz com a interação com as circunstâncias permanentes. As condições de vida que temos, o que usufruímos no meio; tanto os privilégios, quanto os desafios cotidianos, que fazem parte da nossa existência.

A realidade equivale à própria vida, pois estamos tão envolvidos com ela, que concebemos a existência vinculada aos fatos que nos circundam. Quando as ocorrências são agradáveis, sentimo-nos recompensados, mas quando enfrentamos grandes obstáculos, costumamos dizer que a vida é difícil.

Os abalos emocionais que sofremos ao lidar com os eventos exteriores podem comprometer o sentido da vida. Diante dos problemas cotidianos podemos perder o interesse pelo que nos cerca. As interferências prejudiciais ao meio e as perdas materiais ou afetivas podem desencadear profundo desânimo. Essas condições internas podem causar problemas ciáticos.

Além da realidade presente, o nervo ciático, metafisicamente, equivale às perspectivas de futuro. Elas são projetadas com base nas ocorrências momentâneas. A maneira como encaramos o desenvolvimento dos fatos e sentimos as possibilidades vindouras refletem nas condições ciáticas.

As preocupações demasiadas com o amanhã, representam falta de fé em si mesmo e na vida. As pessoas que precisam de algo sólido para se sentirem seguras, não confiam suficientemente em si mesmas, nem no Universo. As forças sutis que organizam as conjunturas, conspiram a favor de quem cultiva sentimentos promissores. Isso se manifesta em forma de oportunidades, que, se forem bem aproveitadas, promovem significativas mudanças no curso da vida.

Quem confia nos recursos internos, tais como a força criativa e a capacidade realizadora, não se abala diante das perspectivas desfavoráveis de futuro. Aquele que acredita nas forças interiores, afugenta os receios de que algo ruim possa acontecer. Sente-se capaz de driblar os obstáculos que supostamente ocorrerão no curso da vida.

DOR CIÁTICA

Dramatizar o futuro com base nos incidentes atuais.

A dor ciática irradia das costas (na região lombar e sacral), passa pelas nádegas e estende-se pela região lateral e/ou posterior das pernas, atingindo a região inferior delas e dos pés.

Na esfera metafísica, esse sintoma reflete o abalo da pessoa em relação às ocorrências ruins; principalmente, em se tratando da família ou do trabalho. Revela a proporção dos "ferimentos" emocionais, causados pelos eventos desagradáveis do cotidiano.

Os problemas absorvem-na a ponto de não conseguir fluir bem nas outras atividades. Dedica-se obsessivamente aos acontecimentos perturbadores, a tal ponto que contamina os demais setores da vida. A pessoa fica tão mal, que não consegue desempenhar bem as outras tarefas. Essa atitude contamina também suas perspectivas futuras.

As dificuldades atuais repercutem negativamente na concepção do amanhã. A pessoa passa a temer o futuro em virtude das instabilidades momentâneas. Certos acontecimentos afetam o conceito acerca do destino, tais como desentendimentos afetivos, complicações com filhos; principalmente a falta de dinheiro.

Quando a pessoa tem a estabilidade financeira ela considera o amanhã promissor. Sente-se mais segura por ter recursos econômicos para suprir ou minimizar uma série de eventualidades. Mas a falta de condições materiais tende a causar inseguranças em relação ao futuro.

Para manter a estabilidade emocional nos momentos de turbulências existenciais, não convém fazer previsões. As expectativas são influenciadas pelas confusões. Olhar para o futuro, projetando os elementos ruins da atualidade, gera instabilidade e/ou temor. Isso piora ainda mais os desconfortos provocados pelas complicações atuais. Imaginar o aumento dos transtornos multiplica o sofrimento.

No transcorrer dos acontecimentos podem acontecer coisas que alteram o reflexo das situações atuais, principalmente se mudarmos o padrão vibracional e passarmos a conceber possibilidades melhores para o amanhã. Devemos confiar nos mecanismos existenciais. A qualquer momento, podemos ser surpreendidos com ocorrências positivas que redirecionam o curso da vida. Quando parece que tudo se encaminha para um desfecho impossível de administrar, eventos inesperados podem mudar completamente as condições do meio.

Existem eventos que provocam verdadeiras revoluções na vida das pessoas. Podem ser tanto ocorrências boas como ruins, tais como o surgimento de uma pessoa especial; a separação de alguém, que de certa forma dificultava a convivência; até a morte de um integrante da família, ocasionando completa reviravolta no ambiente.

As ocorrências presentes, por mais desastrosas que pareçam, não definem as condições vindouras. Creia no sincronismo do Universo, que pode trazer soluções, mudando completamente o curso da sua história.

Para que isso possa acontecer, não dramatize os problemas. Inverta a maneira de olhar para o amanhã. Imagine a possibilidade de você estar a um passo da solução daquilo que o aflige no presente. Acredite num futuro promissor e numa vida farta, abundante. Isso poderá se tornar real, se você acreditar e agir para transformar a realidade.

Não protele o sofrimento, comece a dar novos passos em direção a uma vida melhor. Tanto o presente como o futuro dependem do seu desempenho no aqui e agora.

Cada instante soma ingredientes que constituem a sua existência. Para ser bem-sucedido, pense positivo, cultive bons sentimentos e faça algo para melhorar o curso de sua vida. O Universo, por sua vez, proverá as condições necessárias, para um futuro feliz.

CONSIDERAÇÕES FINAIS

Ao longo dos últimos quatro anos, trabalhamos na elaboração final desta obra. Além desse período, entre o lançamento do volume 3 (setembro de 2003) e o presente momento (2007), houve vários anos anteriores de estudos. Concluímos esta obra com o objetivo de esclarecer você a respeito da relação metafísica do Sistema Nervoso com as qualidades inerentes ao ser.

Proporcionamos-lhe neste livro ampla compreensão das faculdades internas, responsáveis pelas condições psicobiofísicas que governam o corpo. A consciência dos padrões metafísicos e a posse do poder para intervir sobre os sistemas orgânicos tornam possível melhorar a qualidade de vida e obter mais saúde.

Por meio dessas informações, você teve a chance de aprimorar-se enquanto pessoa. Fortalecido interiormente, não precisa negar as ocorrências desagradáveis que o cercam no dia a dia. Pode aproveitar as possibilidades que a vida oferece. Usar as forças internas para alterar as condições desagradáveis que o aborrecem cotidianamente.

A cada instante, o seu corpo está produzindo substâncias hormonais, neurotransmissores etc., que mantêm seu corpo em plenas condições de funcionamento. Por meio dele você pode interagir com a realidade e vivenciar inúmeras sensações vitais de prazer, alegria, conquista e outras. Não desperdice a chance de viver intensamente cada instante dessa rica experiência. Os pensamentos negativos e os sentimentos nocivos, como o mau humor, angústia e outros, ofuscam a percepção do externo e dificultam a realização de suas vontades.

Dispa-se dos preconceitos: eles restringem a percepção dos fatos. Não se abale com as incertezas nem se deixe vencer pelo medo. Assuma uma condição de herói ou heroína para aprimorar o seu desempenho. Vivencie com plenitude a incrível experiência de vida; faça valer cada instante da vida. Aproveite a oportunidade de estar diante do que o cerca, sem deixar de ser quem você é.

Enquanto você se aprimora com as oportunidades que a vida lhe oferece, podendo melhorar as condições existenciais, com o uso dos potencias do seu ser, nós vamos desenvolvendo mais estudos metafísicos e trabalhando na elaboração do próximo volume desta obra de *Metafísica da Saúde*.

REFERÊNCIAS BIBLIOGRÁFICAS

ADAMS, John C.; HAMBLEN, David L. *Manual de ortopedia*. 11ª ed. São Paulo: Artes Médicas, 1994.

BALLONE, G. J.; ORTOLANI, I. V.; PEREIRA NETO, E. *Da emoção à lesão*. São Paulo: Manole, 2002.

BITTENCOURT, Lia R. de A, et al. Sonolência excessiva. *Revista Brasileira de Psiquiatria*. v. 27, Supl. 1. São Paulo, 2005.

BRANDÃO, Marcus L. *Psicofisiologia*: as bases fisiológicas do comportamento. 2ª ed. São Paulo: Atheneu, 2002.

DORON, Roland; PAROT, Françoise. *Dicionário de psicologia*. São Paulo: Ática, 1998.

FEN, Chien H.; BARBOSA, Egberto R.; MIGUEL, Egberto C. Síndrome de Gilles de La Tourette: estudo clínico de 58 casos. São Paulo: *Associação Arquivos de Neuro-Psiquiatria*. v. 59, nº 3B, setembro de 2001.

FREUD, Sigmund. *O mal-estar na civilização*. v. XXI. Rio de Janeiro: Imago Editora, 1969.

GUYTON & HALL. *Tratado de fisiologia médica*. 10ª ed. Rio de Janeiro: Guanabara Koogan, 2002.

ISSLER, Cilly K.; AMARAL, José A.M.S.; TAMADA, Renata S. Expressão clínica do transtorno obsessivo-compulsivo em uma amostra de mulheres com transtorno de humor bipolar. *Revista Brasileira de Psiquiatria*. v. 27, nº 2, p. 139-142. São Paulo, junho de 2005.

KANDEL, Eric R.; SCHWARTZ, James H.; JESSEL, Thomas M. *Fundamentos da neurociência e do comportamento*. Rio de Janeiro: PHB, Prentice Hall do Brasil, 1997.

KNOPLICH, José. *Viva bem com a coluna que você tem*. São Paulo: Ibrasa, 1978.

LIMA, Ricardo F. de. Compreendendo os mecanismos atencionais. *Ciências & Cognição*. v. 6. Ano 2, 2005.

LURIA, Aleksandr R. *El hombre con su mundo destrozado*. Madrid: Garnica, 1973.

MACHADO, Angelo B.M. *Neuroanatomia funcional*. 2ª ed. São Paulo: Atheneu, 2005.

McNAMARA, M. Eileen. Condições neurológicas: depressão e acidente vascular cerebral, escoleose múltipla, doença de Parkinson, epilepsia. In: STOUDEMIRE, Alan (org.). *Fatores psicológicos afetando condições médicas*. Cap. 4. Porto Alegre: Artmed, 2000.

MONTI, Jaime M. Insônia primária: diagnóstico diferencial e tratamento. *Revista Brasileira de Psiquiatria*. v. 22, nº 1. São Paulo, janeiro/março de 2000.

MYERS, David G. *Introdução à psicologia geral*. 5ª ed. Rio de Janeiro: LTC – Livros Técnicos e Científicos, 1999.

OLIVEIRA, Marta Kohl de. *Vigotsky aprendizado e desenvolvimento. Um processo sócio histórico*. São Paulo: Scipione, 1999.

PIAGET, Jean. *Seis estudos em psicologia*. São Paulo: Forense, 1967.

ROBBINS, Stanley L.; COTRAN, Ramzi S. *Patologia – bases patológicas das doenças*. 7ª ed. Rio de Janeiro: Elsevier, 2005.

RUNGE, Marschall S.; GREGANTI, M. Andrew. *Medicina interna de Netter*. Porto Alegre: Artmed, 2005.

SCAHILL, Lawrence; KING, Robert A.; LECKMAN, James F. Abordagem contemporânea para o tratamento de tiques na síndrome de Tourette. *Revista Brasileira de Psiquiatria*. v. 22, nº 4, p. 189-193. São Paulo, dezembro de 2000.

SMITH, Marilia de A. C. Síndrome de Down, envelhecimento e doença de Alzheimer: perspectiva. *Envelhecimento* e *demência mental*: uma emergência silenciosa. São Paulo: Instituto Apae, 2004.

TEIXEIRA, Guastavo H. *Transtornos comportamentais na infância e adolescência*. Rio de Janeiro: Rubio, 2006.

TORTORA, Gerard J. *Corpo humano*: fundamentos de anatomia e fisiologia. 4ª ed. Porto Alegre: Artmed, 2000.

TORTORA, Gerard J.; GRABOWSKI, Sandra R. *Princípios de anatomia e fisiologia*. 9ª ed. Rio de Janeiro: Guanabara Koogan, 2002.

URURAHY, Gilberto. O estresse e a qualidade de vida nas empresas. *Gazeta Mercantil*. São Paulo: 3 de maio de 1998. p. JF-7.

VALCAPELLI; GASPARETTO. *Metafísica da saúde*. v. 1. São Paulo: Vida & Consciência, 2000.

_____ *Metafísica da saúde*. v. 3. São Paulo: Vida & Consciência, 2003.

VIGOTSKY, Lev S. *Pensamento e linguagem*. 2ª ed. São Paulo: Martins Fontes, 1989.

TEMAS ABORDADOS NO VOLUME 1

VOCÊ É A CAUSA DE TUDO

Mente sem limite • Você não tem começo nem fim • Mente, aparelho realizador • Conteúdos da mente • Registros subconscientes • Integridade do ser • Metafísica e hereditariedade • Consciência e responsabilidade • Doença

SISTEMA RESPIRATÓRIO

Fossas Nasais • Gripe ou Resfriado • Rinite • Sinusite • Laringe • Engasgo • Voz • Disfunções da Fala • Gagueira • Calos nas Cordas Vocais • Laringite • Brônquios • Bronquite • Asma Brônquica • Pulmões • Efisema Pulmonar • Edema Pulmonar • Pneumonia • Tuberculose • Tosse • Espirro • Bocejo • Ronco • Soluço

SISTEMA DIGESTIVO

Náusea e Vômito • Dentes • Cárie Dentária • Gengiva • Gengivite • Língua • Afta • Mau Hálito • Estomatite • Glândulas Salivares • Síndrome de Sjögren (SS) • Caxumba • Faringe • Faringite • Esôfago • Esofagite • Hérnia de Hiato • Digestão • Estômago • Suco Gástrico • Gastrite • Úlcera • Fígado • Hepatite • Vesícula Biliar • Pâncreas • Depressão no Pâncreas • Pancreatite • Diabetes • Hipoglicemia • Intestino Delgado • Síndrome de Má Absorção • Diarreia • Intestino Grosso • Intestino Preso • Prisão de Ventre • Apêndice • Apendicite • Diverticulite • Colite • Vermes • Hemorroida

TEMAS ABORDADOS NO VOLUME 2

SISTEMA CIRCULATÓRIO E SANGUÍNEO
Vasos Sanguíneos (Artérias, Veias e Colesterol) • Aneurisma • Arteriosclerose • Varizes • Trombose • Flebite • Coração • Problemas Cardíacos • Taquicardia • Angina • Infarto • Pressão arterial • Pressão alta • Pressão baixa • Sangue • Tipos Sanguíneos "A", "B", "O" e "AB" • Anemia • Coagulação Sanguínea • Hemorragia • Leucemia

SISTEMA URINÁRIO
Rins • Problemas Renais • Cálculos Renais • Cólica Renal • Bexiga • Enurese Noturna • Incontinência Urinária • Problemas na Bexiga • Cistite • Uretrite

SISTEMA REPRODUTOR
Sistema Reprodutor Feminino • Frigidez • Ovários • Síndrome de Ovário Policístico • Cistos de Ovário • Tubas Uterinas • Laqueadura • Infertilidade ou Esterilidade • Útero • Problemas no Útero (Miomas e Fibromas) • Menstruação • Problemas Menstruais • Amenorreia • Menopausa • Vagina • Vaginismo (Ressecamento Vaginal) • Corrimento Vaginal (Leucorreia) • Mamas (Glândulas Mamárias) • Flacidez das Mamas • Coceira nas Mamas • Amamentação • Mastite • Nódulos Mamários

SISTEMA REPRODUTOR MASCULINO
Testículos • Próstata • Problemas na Próstata • Pênis • Disfunção Erétil (Impotência)

TEMAS ABORDADOS NO VOLUME 3

SISTEMA ENDÓCRINO
Hormônios • Pineal • Hipófise • Hormônios da Hipófise • Tireoide • Nódulos ou Tumores na Tireoide • Bócio • Hipotireoidismo • Obesidade • Gordura Localizada • Hipertireoidismo • Magreza • Paratireoides • Suprarrenais

SISTEMA MUSCULAR
Tônus Muscular • Dores Musculares • Fibromialgia • Cãibra • Torcicolo • Tendinite • Músculos da Face • Rubor Facial • Musculatura Lisa • Peristaltismo

CONHEÇA OS GRANDES SUCESSOS DE
GASPARETTO
E MUDE SUA MANEIRA DE PENSAR!

Atitude
Afirme e faça acontecer
Conserto para uma alma só
Faça da certo
Gasparetto responde!
Para viver sem sofrer
Prosperidade profissional
Revelação da Luz e das Sombras
Se ligue em você

COLEÇÃO METAFÍSICA DA SAÚDE

Volume 1 – Sistemas respiratório e digestivo
Volume 2 – Sistemas circulatório, urinário e reprodutor
Volume 3 – Sistemas endócrino e muscular
Volume 4 – Sistema nervoso
Volume 5 – Sistemas ósseo e articular

COLEÇÃO AMPLITUDE

Volume 1 – Você está onde se põe
Volume 2 – Você é seu carro
Volume 3 – A vida lhe trata como você se trata
Volume 4 – A coragem de se ver

COLEÇÃO CALUNGA

Calunga – Um dedinho de prosa
Calunga – Tudo pelo melhor
Calunga – Fique com a luz...
Calunga – Verdades do espírito
Calunga – O melhor da vida
Calunga revela as leis da vida
Calunga fazendo acontecer

LIVROS INFANTIS

A vaidade da Lolita
Se ligue em você 1
Se ligue em você 2
Se ligue em você 3

Saiba mais: www.gasparetto.com.br

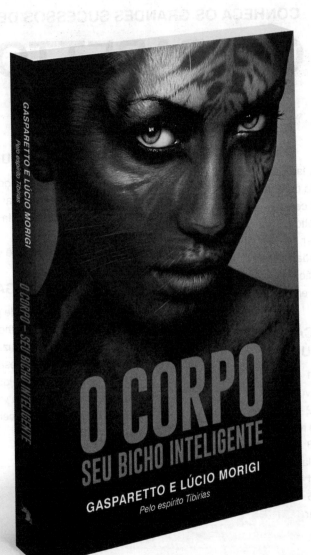

O CORPO
SEU BICHO INTELIGENTE

GASPARETTO E LÚCIO MORIGI

Pelo espírito Tibirias

Nosso corpo é uma estrutura complexa, que mostra uma inteligência extraordinária — separada da nossa inteligência mental — e que é capaz de nos manter vivos.

Eu o chamo de bicho porque ele age exatamente como um animal que precisa ser dominado, disciplinado e educado para que trabalhe a nosso favor.

Compreender como o corpo atua é colocar à nossa disposição seus talentos e poderes, fazendo de nós pessoas mais preparadas para conquistar o que mais queremos nesta vida.

O mundo quer nos separar da companhia dele, fazendo-nos fracos, racionalistas, separados de nossos instintos e da capacidade que ele tem de criar nosso destino.

Este livro quer apenas ajudar você a ser uma pessoa mais completa, saudável e poderosa, dominando os dons que a natureza lhe deu.

COLEÇÃO
METAFÍSICA DA SAÚDE

Luiz Gasparetto e **Valcapelli** desvendam as causas de muitos males. Os cinco volumes da coleção explicam de forma direta e clara como funciona o corpo humano.

Acredito que é hora de pararmos para nos perguntar por que um organismo que sempre foi capaz de se adaptar e se defender, preservando a saúde, fica doente de uma hora para outra. Ou, ainda, por que desenvolvemos um tipo de doença em um certo local do corpo e não em outro?

A Metafísica moderna tem investigado e encontrado dramáticas e surpreendentes leis que nos revelam como funcionamos.

Esta coleção traz até você uma nova visão de vida e ensina a compreender os sinais de seu corpo muito antes que a doença chegue.

Luiz Gasparetto

Estes e outros sucessos, você encontra nas livrarias e em nossa loja:

www.vidaeconsciencia.com.br/lojavirtual

GRANDES SUCESSOS DE
ZIBIA GASPARETTO

Com 19 milhões de títulos vendidos, a autora tem contribuído para o fortalecimento da literatura espiritualista no mercado editorial e para a popularização da espiritualidade. Conheça os sucessos da escritora.

Romances
pelo espírito Lucius

- A força da vida
- A verdade de cada um
- A vida sabe o que faz
- Ela confiou na vida
- Entre o amor e a guerra
- Esmeralda
- Espinhos do tempo
- Laços eternos
- Nada é por acaso
- Ninguém é de ninguém
- O advogado de Deus
- O amanhã a Deus pertence
- O amor venceu
- O encontro inesperado
- O fio do destino
- O poder da escolha
- O matuto
- O morro das ilusões
- Onde está Teresa?
- Pelas portas do coração
- Quando a vida escolhe
- Quando chega a hora
- Quando é preciso voltar
- Se abrindo pra vida
- Sem medo de viver
- Só o amor consegue
- Somos todos inocentes
- Tudo tem seu preço
- Tudo valeu a pena
- Um amor de verdade
- Vencendo o passado

Crônicas

A hora é agora!
Bate-papo com o Além
Contos do dia a dia
Conversando Contigo!
Pare de sofrer
Pedaços do cotidiano
O mundo em que eu vivo
Voltas que a vida dá
Você sempre ganha!

Coletânea

Eu comigo!
Recados de Zibia Gasparetto
Reflexões diárias

Desenvolvimento pessoal

Em busca de respostas
Grandes frases
O poder da vida
Vá em frente!

Fatos e estudos

Eles continuam entre nós vol. 1
Eles continuam entre nós vol. 2

Sucessos
Editora Vida & Consciência

Amadeu Ribeiro

A herança
A visita da verdade
Juntos na eternidade
Laços de amor
O amor não tem limites
O amor nunca diz adeus
O preço da conquista
Reencontros
Segredos que a vida oculta vol.1
A beleza e seus mistérios vol.2
Amores escondidos vol. 3
Seguindo em frente vol. 4

Amarilis de Oliveira

Além da razão (pelo espírito Maria Amélia)
Do outro lado da porta (pelo espírito Elizabeth)
Nem tudo que reluz é ouro (pelo espírito Carlos Augusto dos Anjos)
Nunca é pra sempre (pelo espírito Carlos Alberto Guerreiro)

Ana Cristina Vargas
pelos espíritos Layla e José Antônio

A morte é uma farsa
Almas de aço
Código vermelho
Em busca de uma nova vida
Em tempos de liberdade
Encontrando a paz
Escravo da ilusão
Ídolos de barro
Intensa como o mar
Loucuras da alma
O bispo
O quarto crescente
Sinfonia da alma

Carlos Torres

A mão amiga
Passageiros da eternidade
Querido Joseph (pelos espírito Jon)
Uma razão para viver

Cristina Cimminiello
A voz do coração (pelo espírito Lauro)
Além da espera (pelo espírito Lauro)
As joias de Rovena (pelo espírito Amira)
O segredo do anjo de pedra (pelo espírito Amadeu)

Eduardo França
A escolha
A força do perdão
Do fundo do coração
Enfim, a felicidade
Um canto de liberdade
Vestindo a verdade
Vidas entrelaçadas

Floriano Serra
A grande mudança
A outra face
Amar é para sempre
Almas gêmeas
Ninguém tira o que é seu
Nunca é tarde
O mistério do reencontro
Quando menos se espera...

Gilvanize Balbino
Cheguei. E agora? (pelos espíritos Ferdinando e Saul)
De volta pra vida (pelo espírito Saul)
Horizonte das cotovias (pelo espírito Ferdinando)
O homem que viveu demais (pelo espírito Pedro)
O símbolo da vida (pelos espíritos Ferdinando e Bernard)
Salmos de redenção (pelo espírito Ferdinando)

Jeaney Calabria
Uma nova chance (pelo espírito Benedito)

Juliano Fagundes
Nos bastidores da alma (pelo espírito Célia)
O símbolo da felicidade (pelo espírito Aires)

Lucimara Gallicia
pelo espírito Moacyr
Ao encontro do destino
Sem medo do amanhã

Márcio Fiorillo
pelo espírito Madalena
Lições do coração
Nas esquinas da vida

Maurício de Castro
Caminhos cruzados (pelo espírito Hermes)
O jogo da vida (pelo espírito Saulo)

Meire Campezzi Marques
pelo espírito Thomas
A felicidade é uma escolha
Cada um é o que é
Na vida ninguém perde
Uma promessa além da vida

Priscila Toratti
Despertei por você

Rose Elizabeth Mello

Como esquecer
Desafiando o destino
Livres para recomeçar
Os amores de uma vida
Verdadeiros Laços

Sâmada Hesse
pelo espírito Margot

Revelando o passado

Sérgio Chimatti
pelo espírito Anele

Lado a lado
Os protegidos
Um amor de quatro patas

Stephane Loureiro

Resgate de outras vidas

Thiago Trindade
pelo espírito Joaquim

As portas do tempo
Com os olhos da alma

**Conheça mais sobre espiritualidade
com outros sucessos.**

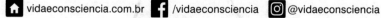 vidaeconsciencia.com.br 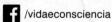 /vidaeconsciencia  @vidaeconsciencia

ZIBIA GASPARETTO
Eu comigo!

"Toda forma de arte é expressão da alma."

Zibia Gasparetto convida você a mergulhar no seu mundo interior. Deixe os problemas de lado, esqueça o negativismo e libere o estresse do dia a dia. Passeie por entre as figuras, inspire-se com cada mensagem e coloque cor em seu mundo. Use suas tonalidades preferidas, libere o potencial criativo que existe dentro de você.

Eu comigo! é um livro para quem quer fugir da rotina e buscar aquela sensação de paz que a arte pode proporcionar. Inspire sua alma com as frases de Zibia Gasparetto criadas especialmente para você e ricamente ilustradas com desenhos encantadores.

Bem-vindo ao seu mundo interior.

www.vidaeconsciencia.com.br

Rua das Oiticicas, 75 – SP
55 11 2613-4777

contato@vidaeconsciencia.com.br
www.vidaeconsciencia.com.br